KB183526

갈퀴질

갈퀴질
•
인쇄일 · 2020. 11. 25.
발행일 · 2020. 11. 30.

지은이 | 매강 김미자
펴낸이 | 이형식
펴낸곳 | 도서출판 문학관
등록일자 | 1988. 1. 11
등록번호 | 제10-184호
주소 | 04089 서울시 마포구 독막로 28길 34
전화 | (02)718-6810, (02)717-0840
팩스 | (02)706-2225
E-mail | mhkbook@hanmail.net

값 · 12,000원

ISBN 978-89-7077-614-9 03810

갈퀴질

매강 김미자 수필집

문학관books

| 머리말 |

하루가 다르게 변하는 시대이다 보니
'십 년이면 강산이 변한다'라는 말은
구버전이 되었습니다.

이젠 강산이 변하는데 3, 4년도 안 걸리고
오늘의 신제품이 내일이면 구제품으로
밀려날 만큼 급변하는 시대입니다.

디지털 세대를 뒤따르려니 버겁기는 해도,
디지로그 세대에서 밀려나지 않으려고
애쓰고 있습니다.

바쁜 시대, 짧은 글을 선호하는 시대에 부응하기 위해서는
수필의 변화도 불가피하다는 생각입니다.
새로움을 시도한다는 각오로 산문시 같은
단문수필에 주력하면서 틈틈이 긴 수필도 썼습니다.

개인의 서사이지만 시대의 생활상과 감성이 녹아있는 글,
그 글들이 무녀리라 해도 혼신을 다해 쓴 작품이라
한 편, 한 편에 애착이 갑니다.

2016년 이후, 문학지와 동인지에 발표했던 수필과 신작
중에서 51편을 선별하여 묶었습니다.
작품 제11집은 '제10회 아름다운 글 문학상' 수상작품
「갈퀴질」을 이름으로 하여 세상에 내놓습니다.

따뜻한 마음으로 읽어주는 독자를 만났으면 좋겠고,
또 누군가의 가슴에 문학의 불씨를 댕겨줄 수 있다면
큰 보람이 될 것입니다.

2020. 11.
매강 김미자

| 차 례 |

머리말 … 4

1 도토리거위벌레

도토리거위벌레 … 11
금전수 … 14
치유의 숲 … 17
아카시아 꽃향기를 따라서 … 20
더부살이 민들레 … 24
행복한 그네들 … 28
커피를 내리며 … 31
감성이 자극받을 때 … 34
반계 유형원 유적지를 찾아서 … 37
여성 최초의 전업 작가, 홀로서기의 선구자 … 42

2 이미륵 작가의 숨결을 따라서

이미륵 작가의 숨결을 따라서 … 51
마르쿠스 아우렐리우스 황제 … 58
만해마을 … 61
「테마가 있는 안양소리 여행」의 공연을 보고 … 64
작품 속의 오류 … 67
잃어버린 작품을 찾아서 … 71
선생님과 함께한 20년 … 74
오감을 사로잡은 곡 … 80
매창과 나의 호號 … 85
심금을 울리는 곡 … 90

3 디지로그 세대

디지로그 세대 … 95
행복의 척도 … 98
세대 갈등 … 101
내 기 … 104
전염병 … 107
다이아몬드 프린세스 호 … 112
뿌리 깊은 편견 … 115

4 갈퀴질

갈퀴질 … 121
소꿉친구 … 125
그때 그 시절의 고향 언어 … 129
흑백사진 … 132
기다림 … 135
친정어머니와 함께한 하룻밤 … 138
추억을 선물하다 … 142

5 어머니의 노래

어머니의 노래 … 149
부자지간의 대화 … 153
트라우마 … 157
닮아가고 있다 … 161
모시 개떡 … 165
홈캉스 … 168
반 성 … 171
가족사진 … 175
순간에 느낀 죽음 … 178

6 가족 여행

가족 여행 … 183
호캉스 … 187
영화 「로마의 휴일」의 배경을 찾아서 … 190
바티칸 시티 … 194
미켈란젤로 … 197
라파엘로의 「아테네 학당」 … 200
판테온과 나보나 광장을 찾아서 … 203
오스트리아 잘츠부르크 … 206

1

도토리거위벌레

1

도토리거위벌레

큰바람이 지나간 적도 없는데
산길에 나뭇가지들이 여기저기 흩어져 있다.

일정한 크기의 나뭇가지들이 호기심을 자극한다.
나뭇가지 하나를 집어 든다.
상수리 열매와 이파리들이 달려 있다.
떨어진 나뭇가지들의 모양이
마치 사람의 손이 간 것처럼 비슷비슷하다.
필시 사연이 있을 것이다.

도토리거위벌레들이 종족 번식을 위해 애쓴 흔적이라니

놀랍다.
신갈나무와 떡갈나무, 굴참나무, 상수리나무 등에 올라가
사는 도토리거위벌레는 성충이 9~10mm 정도의
작은 벌레다.

도토리거위벌레는 열매가 딱딱하게 익기 전 7, 8월이면
말랑한 상수리나 도토리에 드릴 모양의 주둥이로
구멍을 뚫어 파내고 그 속에 알을 1개씩 낳은 뒤
부부가 합심하여 나뭇가지를 잘라 떨어뜨린다.

나뭇가지에 이파리가 많은 것은 떨어질 때
알의 충격을 최소화하기 위한 것이란다.
그 작은 벌레가 어떻게 그 심오한 원리까지 알았을까.

땅 위로 떨어진 열매 속의 알은 일주일 후
애벌레로 부화하여 안에서 과즙을 먹고 자란다.
20여 일이 지나 다 자란 유충은 열매 밖으로 나와
땅속에 흙집을 짓고 번데기로 월동한다.
봄이면 성충이 되어 어미들의 길을 답습하는
도토리거위벌레들

우리네 인생과 다를 바 없는 곤충의 생태가
들여다볼수록 신비스럽고 과학적이다.
도토리거위벌레의 주둥이를 모방한 드릴이
특허 출시되었고, 의학계에서는 그 원리를 수술 도구로
연구개발 중이란다.

자연의 생태계는 우리에게 무한한 아이디어를 제공한다.
그 덕에 우리 삶의 질이 높아지고 있다.
모든 과학과 예술의 근간은 자연으로부터 나온다.

금전수

'돈나무'로도 불리는 금전수는 부자 되라는 의미가 있어 집들이하거나 개업할 때 잘 나가는 인기 품목이다.

주말이면 사무실에 가서 화초를 관리하는데, 개업 때 들어온 금전수가 환경이 열악함에도 꿋꿋하게 잘 자랐다. 같은 날 들어온 값비싼 나무들은 3년도 못 채우고 죽었는데 금전수만은 윤기가 흐르고 화분이 비좁을 정도로 새끼를 치며 쑥쑥 자랐다. 돈을 많이 불러올 것 같았고, 사무실 분위기까지 돋보이게 해서 고마웠다.

다른 나무들이 노랗게 떡잎 질 때, 화분들을 엎어 반이나 차지한 스티로폼을 꺼내고 흙으로 채워주며 정성을 다했는데도 직원들의 관심이 부족해서인지, 환경 때문이었는지 시름시름 앓다가 떠나버렸다. 비싼 화초들이 죽어 나갈 때 아깝기도 하고, 피붙이를 떠나보내는 것처럼 속이 쓰렸다.

자리만 차지하고 있는 빈 화분들은 음지식물인 스파트필름, 스킨답스, 테이블야자 등으로 채우고, 집에서 10년 이상 키운 관음죽과 세이브릿치와 홍콩야자를 사무실로 옮겼다.

화초들이 건재한지 궁금하여 사무실에 갔더니 그날따라 금전수가 반기며 큰집으로 옮겨달라고 보채는 듯 보였다. 여백이 없을 정도로 여기저기서 새순이 나오고 있었다. 마침 비어 있는 큰 화분이 있어 옮기는 작업을 했다. 모자라는 흙은 꽃집에서 사다가 빽빽했던 금전수를 나눠 심었다. 속이 다 후련했다. 잘 살아주기를 기대하며 뿌듯한 마음으로 돌아왔다.

일주일도 안 됐는데 금전수가 썩어서 모두 주저앉았다는 남편의 말이 믿어지지 않았다. 버리겠다는 걸 모두 뽑아서 가져오라고 했다. 밑동이 썩고 있는 한 아름이나 되는 금전수를 받아 자식인 양 가슴에 안았다. 뻐근하니 통증이 느껴졌다.

죽은 이유가 뭘까. 영양이 과했나. 물을 너무 줬나, 날씨 탓인가. 아니다 모두 내 탓이다. 인간적인 생각으로 큰 집이 좋을 것 같아서 옮겨준 게 화근이었을 것이다.

썩어가는 줄기를 잘라내고 살아주길 간절히 바라며 물로

채운 크리스털 용기에 담아 빛이 드는 거실에 두었다. 이파리는 여전히 싱싱하게 보였다. 몸체가 훤히 보이는 물속의 금전수를 매일 들여다보다가 어느 날부터인가 무심히 눈길만 주었다.

한 달쯤 되었을 때, 잘라낸 밑동에서 파 뿌리처럼 흰 뿌리가 나오기 시작했다. 하나가 아니고 여기저기서 보란 듯이. 살아줘서 고맙다는 말이 절로 나왔다. 살릴 수 있겠다는 희망이 생겼다. 정성 들여 물도 갈아주고 보살피며 또 한 달이 지났다.

아, 이렇게 경이로울 수가….

생명의 신비가 한눈에 보였다. 흰 뿌리가 작은 알뿌리를 만들며 잘린 부분엔 두터운 막으로 코팅까지 했다. 알뿌리가 좀 더 도톰해지길 기다렸다가 큰 화분 두 개에 나누어 심었다. 한 달이 다 되어가는데 아직 이상 징후는 보이지 않는다.

나의 불찰로 인해 죽었던 금전수를 살렸으니 결자해지結者解之한 셈이다. 금전수들이 뿌리 내리고 이전처럼 자손을 번성시키며 잘 살아주길 바라며 날마다 들여다보고 있다.

치유의 숲

한동안 숲 해설이 유행처럼 번지더니
언제부터인가 '치유의 숲'이 생기기 시작했다.
지자체마다 '치유의 숲' 프로그램을 만들어
무료로 참가자들을 예약받고 있다.

'치유의 숲'이 많이 생긴다는 것은
우리의 삶이 경제적으로는 풍족해졌지만,
바쁘게 살다 보니 갈수록 감성이 메마르고
정신적 피폐를 가져와 그만큼 필요로 하는 분들이
늘어나고 있다는 방증이다.

정기모임에서 예약하고 찾아간 과천대공원 치유의 숲,
치유 지도사의 지침에 따라 소지품 없이
가장 편안하고 자연스러운 복장으로 프로그램에 참여했다.

각지에서 온 20명이 조용한 '숲속광장'에 모여
스트레칭하고 완만한 경사를 따라 걷는다.
숲에 가득한 향기가 피부로 스며들고,
바람 소리, 새소리를 들으며 자연과 교감한다.
홍진세계에서 점점 멀어져 숲과 하나가 된다.

'활력숲'까지 천천히 걷는데 땀이 배기 시작한다.
지도사는 '하늘숲'에서 소나무, 잣나무, 편백나무, 전나무
의 다름을 설명하고, 향기를 음미하라며
전나무 침엽수 이파리 몇 개씩 나눠준다.
손으로 비비니 전에 없이 진한 향기가 뿜어나온다.
그게 바로 피톤치드란다.
뾰족한 이파리 끝으로 머리를 자극하니
바늘로 쑤신 듯 전율이 느껴지며 시원하다.

걷는 일과 근육 이완 스트레칭을 반복하며 올라간다.

다시 숲과 교감하며 천천히 걸어서 '나무이완숲'인
전나무숲에 다다랐다.
넓은 공간을 중심으로 빙 둘러가며 억새로 만든 울타리가
높게 처져 있다.
각자 원하는 벤치나 땅바닥에 받아온 돗자리와 1인용
방충망을 펴놓고 편안하게 누웠다.
매끈하게 쭉쭉 뻗은 나무들의 꼭대기가 아스라이 멀게
보이고, 정적이 감도는 숲에 풀벌레들의 합창이
자장가처럼 들린다.
스르르 눈이 감긴다.

잠깐이라고 느꼈는데 꿀잠을 잤다.
살면서 마음에 걸렸던 일들이 녹아내리고,
심신이 정화된 듯 가뿐하다.
치유의 힘인가 보다.

아카시아 꽃향기를 따라서

숲이 예쁜 옷을 입었다.

연두색 물감이 뚝뚝 떨어질 것 같은 숲과 시선을 주고받으며 삼색 나물을 무치고, 탕을 끓이고, 전을 부치고, 조기와 병어를 손질하여 찌고, 떡과 식혜, 국, 과일과 술을 준비해 놓은 시간이 오후 5시다.

저녁에 있을 일곱 분의 합동 제삿날, 목기 두 세트와 8폭의 병풍과 큰상과 작은 상까지 만반의 준비를 마치고 집을 나섰다. 새벽부터 움직인 보람으로 마음의 여유가 생긴 것이다.

뒷산을 향해 걷는다. 싱그러움이 가득하다. 제사음식이 밴 옷과 마음을 봄의 향기가 말끔히 씻어준다. 천천히 느긋한 마음으로 봄을 음미하며 올라가는데 진한 향기가 코끝을 스쳐 간다.

긴 동면에서 깨어난 지 엊그제 같은데 어느덧 생기가 넘쳐나는 숲, 가느다란 햇살을 향해 뻗어가는 생명에게서 삶의 활력을 얻는다. 짧은 기간에 싹을 틔우고 꽃을 피워 열매로 마감하는 식물들은 종족 번식의 소임을 다하기 위해 나름 애쓰고 있다. 그 덕에 누가 심지 않았는데도 아기 나무들이 쑥쑥 자라는 걸 본다. 새삼 경이로운 자연의 섭리에 숙연해진다.

떡갈나무, 때죽나무, 노간주나무, 단풍나무, 아카시아와 마로니에의 어린 나무들을 손으로 스치며 훌륭한 나무로 잘 자라 숲을 지키라고 응원한다.

인류와 함께 긴 역사를 이어가는 산들이 코앞에 있음은 감사한 일이다. 속세에서 받은 마음의 상처까지 치유할 수 있는 산의 고마움을 온몸으로 느끼며 걷는다. 올라갈수록 진한 향기가 코끝을 자극한다. 주렁주렁 매달린 아카시아꽃이 꿀벌들을 유혹하고 있다. 이제 막 피기 시작한 아카시아꽃들은 최고의 향기로 사람들까지 불러낸다. 낮보다 밤에 더 진한 향기로 보시하고 있는 탐스러운 아카시아꽃을 사진에 담으며 맘껏 음미해 본다.

눈부신 햇살이 좁은 산길에 내려앉고, 노란 씀바귀와 애기똥풀과 돌소리쟁이, 어린 개망초와 개여뀌가 활개를 치고 있다. 메마른 땅이 보이지 않도록 깔아놓은 연두색 양탄자가 싱그러움을 배가시킨다.

아무도 없는 호젓한 길을 따라간다. 마술피리에 끌려가듯 아카시아 꽃향기를 좇는다. 향기로 가득한 산길에 참새와 비둘기가 숲과 하나 되어 여유롭게 노닐고 있다. 인간의 눈치 볼 것도 없는 그들은 인기척을 내도 아랑곳하지 않는다.

쌍쌍이 있는 것을 보니 데이트하는 모양이다. 숲의 주인인 그들의 영역에 인간이 침범한 셈이다. 방해하지 않으려고 조심스럽게 옆으로 비켜 간다. 향기는 끝없이 이어져 산자락도 모자라 인간들이 바삐 움직이는 도심까지 날려 보낸다.

잠시라도 하얗게 물들인 산자락과 아카시아 향기를 음미해 보면 좋으련만 바쁘게 살아가는 인간들은 마음의 여유가 없다. 어느 날, 문득 느꼈을 땐 이미 향기가 떠나고 초록빛 숲만 남아 있을 것이다.

산자락 끄트머리까지 산책하며 다녀오는 길, 여전히 새들은 그들의 터전에서 노래 부르며 생을 즐기고, 거기에 더불어 살아가는 인간들은 정신없이 하루를 보낸다.

제삿날, 잠시 틈을 내어 아카시아 꽃향기를 따라서 뒷동산

한 바퀴 돌아 나오며 봄의 정취에 젖어 보았다. 제사상을 진설할 때 봄의 향기도 듬뿍 올려놓아야겠다.

더부살이 민들레

인간에게 관심은 사랑이지만 자연의 섭리에 순응하며 살아가는 식물에겐 어떨까.

아침 운동 가는데 벚나무 틈새에 자리 잡은 민들레가 눈에 띄었다. 민들레는 홀씨가 날아가 떨어진 곳이 제집이기는 하지만, 가로수 벚나무에 둥지 튼 민들레가 신통하여 저절로 관심이 갔다.

참새가 방앗간 들르듯 날마다 민들레 곁으로 지나가며 자라는 모양을 사진에 담았다. 땅바닥에 무리 지어 피어있는 민들레는 온갖 먼지와 쓰레기 속에서 살고 있는데 벚나무에 더부살이하는 민들레는 초록색의 잎이 선명할 정도로 깨끗하여 더 싱싱해 보였으며 멋스럽기까지 했다.

벚꽃이 만개할 무렵, 민들레도 꽃망울을 맺었다. 이제나저제나 꽃이 피길 기다렸다. 두 개의 꽃대가 서로 겹치지 않도록 위아래로 나누어 꼬부랑 할머니처럼 심하게 휘었다. 오후의 햇살을 듬뿍 받은 한 개의 꽃대가 일직선으로 꼿꼿하게 세우더니 샛노란 꽃을 피워냈다.

꿀벌이 용케도 알고 찾아와 노란 꽃 속에서 놀고 가더니 며칠 만에 꽃잎을 꽉 다물고 아래쪽으로 내려갔다. 아래에 있던 휘어진 꽃대가 기다렸다는 듯이 위로 올라오더니 꼿꼿하게 세우고 꽃을 피웠다. 햇살에 더 선명해진 샛노란 꽃은 꿀벌들을 불러들였다.

두 개의 꽃대가 서로 양보하며 교대로 꽃을 피우고 있는 동안, 실낱같은 틈새에서 또 하나의 꽃대가 보였다. 밖으로 나올 틈을 찾느라고 꽃대가 심하게 굽어 두 겹처럼 보였다. 꽃대를 따라가 보니 거꾸로 매달려 이미 꽃을 피웠다가 닫은 흔적이 보였다. 그 좁은 틈새에서 어떻게 꽃을 피웠을까. 민들레의 강인한 생명력이 놀랍다.

인간의 눈으로 볼 때는 기적에 가깝지만, 그들은 자리 잡은 환경이 아무리 열악해도 불평불만 없이 소임을 다한다. 환경 때문에 죽을 일은 없는 게 민들레의 끈질긴 생명력이고 인내이며 종족 보존의 본능 아닐까. 마치 전 세계에 진출

하여 뿌리 내리고 긴 역사를 이어가는 당당한 화교들과 닮았다.

지나친 관심은 간섭이나 다름없다. 안쓰러울 정도로 굽은 꽃대를 도와주고자 그들의 사생활에 깊이 관여했다. 꽃대를 덮고 있는 두꺼운 나무껍질을 살짝 떼어 숨통이 트이도록 도와주었으면 그만인 것을, 어쩌자고 과잉 친절을 베풀어 가냘픈 줄기까지 밖으로 끄집어냈을까. 과연 잘한 일일까. 그동안 억눌려 있음에 대한 보상이라는 인간적인 생각으로 자연을 거스르지나 않았는지. 일순간 양심의 소리가 스쳐 지나갔다.

그런데 눈앞의 광경이 놀라웠다. 가느다란 틈바구니에서 오랫동안 억눌려 있던 겹쳐진 꽃대가 밖으로 나오자마자 용수철 튕기듯 일직선이 되더니 꼿꼿한 자세를 취했다. 생명의 신비에 또 한 번 가슴이 뭉클했다.

다음 날 아침에 가서 살펴보니 그새 홀씨가 반은 날아가고 없었다. 나무껍질에 억눌린 상태에서도 씨가 여물어 날아갈 준비를 하고 있었던 모양으로 적기에 구해줬다는 생각에 안도했다.

제일 먼저 핀 꽃의 열매는 4월의 찬 바람에 이미 날아간 상태였고, 나머지 하나는 열매를 익히는 중이라 놓치지 않으려고 하루에 두세 번씩 찾아가 살폈다. 곧 열매가 모습을 드러낼 것 같았지만, 인간이 어찌 그들의 섬세한 생태를 알며 짐작이나 할 것인가. 그래도 집 현관에서 먼발치로 보이는 더부살이 민들레를 시간마다 살폈다.

호기심은 집착을 낳는가 보다. 세 개 중 한 개만이라도 온전한 열매를 보고 말겠다는 생각은 조바심에 부채질했다. 4월의 쌀쌀한 바람조차 아랑곳하지 않고 민들레 주변에서 맴돌며 지켜보다 지쳐 들어왔다.

놓치고 싶은 않은 마음이 통했을까. 현관에서 나무 사이로 보니 햇살에 반짝이는 열매가 하얗게 보였다. 만사를 제쳐놓고 달려 나갔다. 과연 보송한 열매가 나와 있었다. 이제 막 나온 상태라 모양이 온전하지는 않았지만 반갑고 고마워 사진에 담았다. 강풍주의보가 내린 마당에 그마저 훌쩍 날아가 버린다면 기다린 보람이 없지 않은가.

더부살이 민들레를 만난 지 꼭 한 달이 되었다. 4월 한 달 내내 나의 관심 속에서 살다가 천지사방 곳곳으로 퍼져나간 민들레, 부모가 그랬던 것처럼 그 후손들도 어딘가에 자리 잡고 앉아 봄을 기다리고 있을 것이다.

행복한 그네들

누가 만들어 주었을까.

상가 옆 작은 공터에 개집 모양의

예쁜 밥집과 깨끗한 물그릇이 있다.

가끔 창문을 통해 내려다보면

단란한 고양이 가족이 눈에 들어온다.

검정 털의 아빠와 황금 털의 엄마 사이에서

태어난 새끼 고양이도 엄마 아빠를 닮아 두 가지 색이다.

주먹만 한 새끼들이 부모의 보호를 받으며 무럭무럭

자라고 있다.

음식물쓰레기통을 맴도는 길고양이 천지인 도심에서
한 가족을 이루고 산다니 참 행복한 녀석들이다.
아빠 고양이는 주변을 맴돌며 나들이하지만,
엄마 고양이는 집에서 새끼들을 돌보고 있다.

어느 날, 한 장면에 시선을 멈추었다.
평화롭게 누워있는 어미, 어미 꼬리를 붙잡고 놀고 있는
새끼 한 마리, 어미는 새끼의 장난에 장단을 맞춰 꼬리를
좌우로 흔들며 놀아준다. 검정 털의 다른 새끼가 어미
머리맡에서 부러운 듯 지켜본다.

실컷 놀다가 싫증이 난 새끼가 자리를 뜨자 기다렸다는 듯
다른 새끼 한 마리가 그곳으로 가서 똑같은 방법으로
어미 꼬리를 붙들고 이리저리 흔들고 입에 대기도 하면서
재밌게 논다.
어미는 성가셔하지 않고 잘 놀아주고 있다.
참 오붓하고 평화로운 장면이다.

우리 사회는 저들처럼 살지 못하는 가정이 늘고 있다.
부모 자식의 관계가 원만하지 못하고 책임과 의무마저

저버린 채 살아가는 사람들이 얼마나 많은가.
행복한 그네들처럼 온전하고 오붓한 가정이 늘어나야
이 사회가 건전해질 텐데….

커피를 내리며

언제부터인가 커피가 우리네 생활에 깊숙이 파고들어 하루에 몇 잔씩 마시는 것은 당연한 것으로 받아들이고 있다.

80년대에는 커피를 타서 마셨다. 알 커피, 프림, 설탕통이 세트로 나올 정도로 일반화되었던 커피는 용량에 따라 맛이 달랐다. 기업의 여비서들이 커피를 제일 맛있게 타던 시절이었다.

믹스커피가 나와 물만 끓이면 언제 어디서든 맛있는 커피를 맛보던 시절이 저만치 밀려가고 있다. 거리마다 카페라는 곳이 등장하고 바리스타 교육이 성행하더니 카페 천국이 되었고 가격도 천차만별이다. 커피 맛보다 장소가 필요해서 카페에 들르지만, 맛의 진가를 모르고 아메리카노만 마셨다.

이젠 손수 내린 커피가 대세다. 불과 몇 해 전까지만 해도 고가의 커피머신은 특정인들만 이용했다. 그런데 지금은 저렴한 가격의 작고 예쁜 기계가 나와 집집이 하나씩 놓고 커피를 간편하고 쉽게 내려 마신다.

딸아이가 선물로 가져온 필터 컵과 필터를 이용하여 내린 커피를 마시기 시작했다. 처음엔 번거로워 길어야 1분이 그토록 길게 느껴져 성질 급한 사람은 못 해 먹겠다며 푸념했다. 남편은 언제 기다리냐고 아예 믹스커피를 후닥닥 타 마시며 만족해한다.

초, 분을 다투는 운동선수보다 더 조바심내며 마치 긴 시간을 허비한 것처럼 아깝다는 생각이 들더니 갈수록 마음이 느긋해진다.

물이 끓는 동안 컵 안에 앉힌 필터에 커피 가루를 넣고 기다렸다가 다 끓은 물을 천천히 부으면 커피 물이 또르륵 똑똑 떨어진다. 그걸 지켜보는 그 짧은 시간이 지루하다는 생각은 사라지고 커피 떨어지는 소리가 들리기 시작한다. 양에 따라 색깔이 달라지는 걸 보면서 마음의 여유를 느낀다.

커피 내리기를 반복하다 보니 시나브로 마음이 편안해지기 시작했다. 커피가 걸러지는 동안 창밖에 시선을 두고 우거진 숲이 옷 벗는 계절의 변화도 보고, 창공을 나는 새들과 번쩍

거리며 지나가는 비행기도 본다. 어느 날은 먼 산을 응시하며 추억을 반추하기도 한다.

어떤 동행자와도 보조를 맞추지 못할 정도로 성급한 행동이 몸에 배어 항상 앞장서서 걷곤 했는데 조급성이 점점 사라지고 있는 자신을 발견한다. 비로소 느림의 미학을 음미하게 되었다. 그래서 미국의 심리학자 윌리엄 제임스는 명언을 남긴 것일까.

생각이 바뀌면 행동이 바뀌고
행동이 바뀌면 습관이 바뀌고
습관이 바뀌면 인격이 바뀌고
인격이 바뀌면 운명이 바뀐다.

감성이 자극받을 때

지인들은 좋은 곳을 보거나 아름다운 풍광을 만나면
바로 글이 되어 나오는 줄 안다.
그래서 해외여행을 권하고, 아름답고 멋진 곳을
소개하기도 한다.

제아무리 좋고 아름다운 곳이라도 감성이 자극을 받지 못하면 한 줄의 글도 나오지 않는다.

봄볕 아래 봄까치꽃과 꽃마리와 봄맞이꽃의 가냘픈 떨림이 느껴지고, 무논의 윤슬에 비친 빨간 개양귀비꽃이 한 폭의 그림으로 들어오거나 담장 아래 흐드러지게 핀 분홍빛의

낮달맞이꽃의 무리가 감성을 자극하면 수채화 같은 글이
나온다.

항상 안테나를 세우고 다니다 보면 신호가 느껴진다.
신호의 조각들을 저장했다가 어느 순간 퍼즐 맞추기 작업
에 들어간다.
퍼즐이 잘 맞아떨어질 때도 있지만, 어느 땐 날밤을 새우
거나 농익은 술처럼 발효될 때까지 오래 기다리다 하나의
결정체로 완성하는 기쁨을 누린다.

쓰기 위해 작정을 하고 덤빈다면 못 쓸 것도 없지만
매끄럽지 못하다.
자연스럽지 못하고 억지스러움이 느껴지는 글은 몇 번을
읽어도 불만족이다. 배설의 통쾌함이 느껴지지 않는 글은
옹이가 느껴져 불편하다.

글이 써지지 않을 때는 저만치로 밀쳐두었다가
고갈된 감성이 옹달샘 물처럼 차오를 때까지 기다린다.
맑은 물이 고였을 때 표주박으로 떠서 마시면 시원하고
달콤한 맛을 음미할 수 있듯이 글쓰기도 그렇게 고인

옹달샘 물을 퍼내는 작업과 같다.

글은 아무 때나 써지는 게 아니라,
감성이 자극을 받을 때 한 편의 글이 되어 나온다.

반계 유형원 유적지를 찾아서

늦가을, 단비가 내린다.

오랜 가뭄으로 자라지 못하던 김장배추의 목축이는 소리가 들리는 듯하다.

앙상한 가지에 매달린 홍시의 빛깔이 더 선명하고, 산천의 나무들은 고운 빛을 발하며 마지막 소임을 다하고 있다.

가을걷이가 끝난 텅 빈 들판에 내리는 비를 바라보며 나들이에 나선다. 오가기 바빠서 지척에 두고도 찾지 못했던 '반계 유형원의 유적지'를 향해 달린 지 불과 20여 분 만에 도착했다.

길가의 안내표지판을 볼 때마다 서울에서 출생한 유형원이 왜 변산 자락에 둥지를 틀었을까 의문했는데, 이제야 궁금증을 풀러 가는 길이다. 우동마을 주차장에서 잘 닦인 길을 따라 올라간다.

비구름이 산자락을 에워쌌다. 늦가을의 단풍과 운무가 멋스러운 산수화를 그려내고 있다. 안내표지판을 따라가니 '實事求是'라 쓴 커다란 입석이 제대로 찾아왔음을 알려준다.

새로 단장한 듯한 데크 산책로 따라 올라가며 '반계 유형원'과 관계된 실학이 어떤 학문인지 표지판의 설명을 읽으며 다시 공부하자니 새삼스럽다. 그처럼 훌륭한 학자가 우리 고장에서 20년을 살며 『반계수록』을 19년에 걸쳐 완성했다니 얼마나 자랑스러운가. 면면히 이어온 학자의 얼은 고장에 많은 영향을 미쳤으리라.

고요에 묻힌 '반계서당磻溪書堂'이 눈앞에 펼쳐지고, 노송과 조화를 이룬 '반계정磻溪亭'이 한눈에 들어온다. 우반동 산자락에 자리한 반계 유형원의 유적지를 한 바퀴 돌아본다. 유형원이 팠다는 울 안의 우물에 빗방울이 떨어져 작은 연속무늬를 만들고 있다. 지금도 샘물이 나오고 있다는 우물에 만추가 들어앉았다.

타임머신을 돌리고 돌려 1600년대로 가본다. 광해 14년인 1622년 1월 21일 외가인 지금의 정릉에서 명문가의 후손으로 태어난 유형원은 2세 때 아버지를 여읜다. 예문관검열의 관직에 있던 아버지 유흠이 '유몽인의 역옥逆獄'에 연루되었다는 누명으로 참화를 입은 것이다.

어린 유형원은 할아버지 슬하에서 자라며 당대 덕망 있는 학자인 외삼촌 이원진과 역시 명망 있는 고모부 김세렴 밑에서 학문을 닦는다. 외삼촌 이원진은 『하멜 표류기』에 언급되었던 인자한 제주 목사였고, 성호 이익의 당숙이기도 하다. 이익은 유형원의 59세 아래 친척 동생이지만, 훗날 유형원의 실학사상을 계승, 발전시킨다.

15세인 유형원은 병자호란의 국란을 겪으며 인생관과 국가관이 확립된다. 20대는 고모부 함경감사 김세렴을 따라 함경도, 평안도 등지를 돌고, 금강산, 금천, 안양 등 여행하며 백성들의 비참한 삶과 고통을 목격하고, 실사구시의 학문에 뜻을 두게 된다.

할아버지의 성화에 못 이겨 과거시험에 응시했으나 두 번의 고배를 마신다. 유형원은 선비로서 갖춰야 할 최소한의 벼슬인 진사에 합격한 이후로 정치를 멀리하고, 조부가 별세하자 3년 상을 치른 뒤 32세 되던 해 1653년(효종 4), 9대조 유관의 사패지賜牌地인 우리 고장 부안 우반동으로 이주한다.

지금이야 교통이 발달하여 사통팔달이지만, 1600년대면 호랑이가 나올 법한 첩첩산중이요, 오지인 변산 자락의 우반동愚磻洞이다. 실학의 비조로 알려진 반계 유형원은 우반동 산자락에 '반계서당'를 짓고 후진 양성에 힘쓰며 나라가 부강하고, 백성이 편안하게 잘살기 위한 방법 등을 연구한다. 26권의 『반계수록』은 31세부터 시작하여 49세에 완성했으나, 오랜 세월 집필에 진을 뺐던 탓이었을까. 3년 후인 1673년 음력 3월 19일, 향년 52세에 세상을 떠난다.

『반계수록』은 100년 동안 빛을 보지 못하다가 유형원의 증손인 유발에 의해 실학자 덕촌 양득중, 성호 이익, 순암 안정복이 읽게 되면서 세간에 알려진다. 1750년 『반계수록』 간행을 요구하는 양득중의 상소로 영조의 허락하에 3부가 발행되어 남한산성과 사고에 보관되었고, 1770년 영조는 다시 경상관찰사에게 이 책의 목판인쇄를 지시하여 간행한다.

『반계수록』의 개혁 방안은 영조와 정조, 대원군, 경세가들이 정책에 반영하는 성과를 거둔다. 오늘이 있기까지 기저에는 『반계수록』의 개혁론이 작용하지 않았을까.

'반계서당' 토방에 서서 반계 선생이 수없이 바라보았을 우반동 들판과 저 멀리 곰소 앞바다를 바라본다. 너른 사패지에서 농사짓는 농민과 곰소항의 어부들을 보며 실사구시에 박차를 가했을 반계 선생을 그리며 '반계정'에 올라섰다. 아름다운 그림이 병풍처럼 펼쳐진다. 휴식 공간이요, 힐링 장소가 되었을 '반계정'이 한 그루의 노송과 어우러져 만추의 정취를 한껏 돋우고 있다.

반계서당 뒤쪽에 있는 선생의 묘터는 부모님이 안치된 선영(경기도 용인)으로 이장하기 전에 잠시 묻혔던 곳이라 해서 올라가 한 바퀴 돌아 나오며 반계 선생이 지은 시 한 편을 감상해본다.

부안에 도착하여到扶安

세상 피해 남국으로 내려왔소
바닷가 곁에서 몸소 농사 지으려고
창문 열면 어부들 노랫소리 좋을시고
베개 베고 누우면 노 젓는 소리 들리네
포구는 모두 큰 바다로 통했는데
먼 산은 절반이나 구름에 잠겼네
모래 위 갈매기 놀라지 않고 날지 않으니
저들과 어울려 함께하며 살아야겠네

여성 최초의 전업 작가, 홀로서기의 선구자

해동이 시작된 3월 어느 날, 예술의전당 한가람미술관을 찾았다. 전시회장 초입의 벽면을 장식하고 있는 분홍색 톤인 두 작품에서 화가의 화풍이 느껴진다. 이른 시간인데도 많은 인파가 몰려 있는 걸 보니 호기심이 더 생긴다.

그녀는 어떤 삶을 살았을까. 궁금증에 발걸음을 재촉하여 검은 장막 안으로 들어갔다. 전시 작품마다 많은 관람객이 모여 있어 그녀의 명망이 어느 정도인지 짐작케 한다.

청춘시대, 망명시대, 열정시대, 성숙의 시대로 분류하여 전시한 작품들을 들여다보며, 그녀의 발자취를 따라가 본다.

그녀는 1883년 10월 30일 파리에서 44세의 정치가와 22세의 가정부 사이에서 사생아로 태어난다. 어머니 폴린의 사랑과 이미 가정을 가졌지만 유복한 아버지의 원조로 부유층의 자녀가 다니는 리세 라마르틴에서 공부한 후 화가를 지망한다.

1907년 24세인 마리 로랑생은 피카소의 소개로 이탈리아 작가 기욤 아폴리네르(1880~1918)와 만난다. 아폴리네르는 현대 시의 시작을 알렸던 새 시대의 시인이었고, '캘리그라피'라는 용어를 처음 사용했으며 새로운 예술운동을 이끄는 선구자였다.

마리는 세계 곳곳에서 모인 재능 있는 예술가들과 교유하며 예술가의 예술가로 불렸고, '세탁선'이라는 아틀리에를 드나드는 유일한 여성 작가이기도 했다.

1911년 프로방스에 거주하며 곤충학자 장 앙리 파브르와 패션디자이너 폴 포와레의 여동생 니콜 포와레 그루와 만나 평생 친구로 지낸다. 1912년 마리의 첫 개인전에서 피카소는 자신의 그림을 판 돈으로 「꿈꾸는 자」를 구입했고, 독일 화상 빌헬름 우데는 스웨덴 부호이며 발레단의 투자자 리더인 롤프 드 마레에게 마리의 「젊은 처녀들」을 4,000 금프랑에 판다. 무명 화가의 그림이 고가에 팔리자 유럽화단에서 마리의 존재가 높이 올라간다.

1911년 루브르 미술관의 모나리자 도난사건의 혐의로 아폴리네르가 체포되고, 그 일로 인해 결혼할 것이라는 예상과 달리 두 사람은 파국을 맞는다. 마리와의 이별을 노래한 시 「미라보 다리」는 아폴리네르의 대표작이 된다.

미라보 다리 아래 센 강은 흐르고
우리들의 사랑도 흘러간다.
내 마음 깊이 아로새기리
기쁨은 언제나 고통 뒤에 오는 것
– 하략 –

회색 톤의 그림 「책 읽는 여자」 앞에서 걸음을 멈추었다. 어딘지 모르게 우수에 잠긴 모습에서 쓸쓸함이 묻어나온다. 평생 의지하던 어머니를 잃고, 사랑하는 연인과의 이별, 화가로서의 성공, 그리고 갑작스럽게 치른 결혼으로 많은 생각에 잠긴 듯 복잡 미묘한 감정이 그대로 투영된 그림이다.

1914년 6월 22일 31세의 마리는 독일인 남작 오토 폰 뷔체와 결혼하면서 '똑똑하고 춤을 잘 추어 결혼했다'고 이유를 밝혔다지만 속내는 복잡했던 모양이다.

신혼여행 중 제1차 세계대전이 발발하면서 그들의 조국인 독일이나 프랑스로 가지 못하고 중립국인 스페인 마드리드,

바르셀로나, 말라가, 그라나다로 거주지를 옮겨 다니며 고단한 망명 생활을 한다.

헤어진 아폴리네르와 만나지는 않았지만, 편지는 주고받으며 서로 소식을 전한다. 이탈리아인 아폴리네르는 프랑스 국적을 얻어 참전하고, 마리는 프라도 미술관에서 벨라스케와 고야의 영향을 받고, 그림 그리는 것으로 위안을 얻는다. 남편 오토는 술과 여자에 빠지고 마리는 그리운 파리 소식을 전해주는 니콜 그루와 가까이 지낸다.

앙드레 브르통은 다다의 잡지 『391』에 평론 「마담 로랑생」을 발표한다. 마리는 유랑생활의 고통 속에서 자신이 '잊혀진 여인'이라는 생각에 1917년 바르셀로나에서 「진정제」란 시를 『391』에 발표한다.

지루하다고 하기보다 슬퍼요.
슬프다기보다 불행해요.
불행하기보다 병들었어요.
– 중략 –
죽었다기보다 잊혀졌어요.

1918년 11월 9일 전선에서 부상을 당한 아폴리네르가 병사하고, 종전이 되어 남편의 본가 뒤셀도르프에서 지내며 시인 라이너 마리아 릴케와 조각가 알렉산드르 아킹펭코와 만난다.

전쟁으로 궁핍했던 마리 부부는 미국의 대부호 존 퀸이 「숲속의 여자들」을 고가에 사줘 여유가 생긴다. 방탕 생활에서 헤어나지 못하는 남편과 이혼하고 파리로 돌아온 마리는 개인전을 열었고 작품들은 모두 팔린다.

구르고 남작 부인 에벗 게하르트, 레이디 큐나드, 코코 샤넬 등 파리 사교계 사람들의 초상화 주문을 받고, 발레 뤼스(러시아 발레단) 장 콕토 각본, 프란시스 플랑크 작곡의 「암사슴들」의 의상과 무대장치를 맡아 성공한다.

수잔느 모로를 가정부로 데려와 함께 살며 현대장식미술, 산업미술, 국제박람회에 출품, 성공의 길로 들어선 마리는 '에펠탑이 빛나면 거리 전체가 무도회장 같은' 아름다운 경치가 보이는 호화로운 아파트로 이사한다.

뉴욕증권거래소에서 주식 대폭락으로 시작된 대공항의 여파는 유럽까지 미치게 되지만, 경제적 여유가 있던 마리는 세계 곳곳에서 전시회를 갖는다. 1937년 프랑스 정부에서 최고의 훈장인 '레지용 도뇌르'를 받는다.

1939년 9월 3일 제2차 세계대전으로 피난 갔던 마리는 나치 점령 하의 파리로 돌아온다. 1940년 코믹오페라에서 상영된 「어느 여름날」의 배경과 의상을 맡았고, 1942년 최초로 회고록이자 자신의 시를 수록한 시집 『밤의 수첩』을 발행한다.

그해 뒤셀도르프에서 재혼했던 전 남편 오토가 사망하고, 1944년 8월 파리는 해방의 기쁨으로 가득했으나 마리는 독일에 살고 있던 오토와 그 가족을 금전적으로 돕고, 독일인 장교의 친구들을 집으로 초대했다는 이유로 체포된다. 드랑시의 강제수용소로 보내졌던 마리는 혐의를 벗고 8일 후에 풀려난다.

마리는 롤랑 프티의 「풀밭 위의 점심 식사」, 차이콥스키의 「잠자는 숲속의 미녀」 무대 장식과 의상을 맡아 성공하고, 그림에도 황색과 빨강색을 사용하며 변화를 보인다. 뉴욕 로젠버그, 런던 짐펠피스 화랑에서 개인전을 열고 사포의 시집 등 삽화 책으로 내기 위해 판화 제작을 한다.

1954년 가정부 수잔느를 정식 양녀로 들이고, 1955년 오랜 소송 끝에 전쟁 중 몰수당했던 사보르낭 드 브라자 저택을 돌려받았으나 73세인 1956년 6월 8일 안식일 밤에 자택에서 심장마비로 세상을 떠난다.

20세기 초, 남성이 독점했던 미술계에서 여성 최초의 전업 작가이며 홀로서기에 성공했던 선구자, 마리 로랑생은 유언에 따라 하얀 드레스에 장미 한 송이를 손에 쥐고, 아폴리네르 편지 다발을 가슴에 놓은 채 페르 라셰즈 묘지에 묻힌다.

출생에 구애拘礙되지 않고 제1, 2차 세계대전의 어려움 속에서도 꿋꿋하고 화가답게 살다 많은 유품을 남기고 떠난 마리 로랑생은 살아온 날들을 되돌아보게 했다. 과연 나는 어떤 삶을 살고 있는가?

2

이미륵 작가의 숨결을 따라서

2

이미륵 작가의 숨결을 따라서

이미륵 작가를 만난 것은 전혜린 작가를 통해서였다.

천재 작가, 서울대 법대 재학 중 우리나라 여성 최초로 독일 뮌헨대로 유학, 짧은 삶 등 『불꽃처럼 살다간 여인, 전혜린』을 선망하던 20대에 그녀가 번역한 이미륵 작가의 『압록강은 흐른다』를 읽으며 감정이입이 되었다.

이미륵 작가의 자전소설인 『압록강은 흐른다』는 시골에서 상경한 지 얼마 되지 않은 청춘에게 무한한 가능성을 보여줬다. 그뿐 아니라 미지의 세계를 간접 경험하게 해줬다.

1899년 황해도 해주에서 부농의 삼대독자로 태어난 작가는 사랑을 듬뿍 받으며 귀공자처럼 자란다. 한학을 하고 신식학교에서 공부하여 독학으로 경성의학전문학교에 들어가

재학 중이던 1919년 3·1운동에 가담했다가 일경에 쫓겨 귀향했으나 어머니의 간곡한 권유로 고향을 떠난다.

칠흑같이 어두운 밤중에 영화의 한 장면처럼 총성을 들으며 아슬아슬하게 유유히 흐르는 압록강을 건너고, 우물 안 개구리처럼 살았던 미륵은 미지의 세계에서 낯선 경험을 하게 된다.

기차로 만주 대평원을 달려 도착한 곳은 심양, 다시 북경행 기차를 타고 가며 또 다른 문화와 접한다. 기차에서 숙식하며 차창 밖으로 보이는 만리장성에 감탄하고, 중도에서 다시 기차를 갈아타고 남으로 가면서 아버지와 서당 선생님과 누나한테 수없이 들었던 공자의 고향 산동 지방을 지나 바다처럼 넓은 양자강 앞에 이른다.

양자강을 건너 남경에 도착한 미륵은 여관에서 반가운 한국인을 만나 중국인의 생활 습관과 문화에 대해 들으며 구경한다. 다시 남경에서 기차로 상해에 도착한 미륵은 중국 정부에서 발급하는 여권을 기다리는 9개월 동안, 1919.11.27 대한적십자 대원으로 활동한다. 의학 공부했던 경험으로 간호사양성 일을 도우며 상해임시정부 독립운동가들 밑에서 애국심을 불태운다.

1920년 4월 안중근 의사의 사촌 동생인 안봉근 소개로 알게 된 빌헬름 신부의 도움으로 중국인 학생 신분의 중국 여권을 발급받아 거대한 정기여객선 '르뽈르까' 호에 오른다.

승선한 지 3일 만에 베트남 사이공에 입항하여 구경하고 싱가포르, 수마트라해협을 지나 콜롬보 정박, 실론 섬(스리랑카)도 구경한다. 석탄을 싣기 위해 동아프리카 지부티에 정박, 아프리카의 지독한 더위를 체험하고 홍해, 시나이 산을 멀리 바라보며 수에즈운하와 그리스, 안개에 뒤덮인 산과 계곡들을 스쳐 지나며 유럽의 해안 따라 항해할 때는 폭풍우를 만난다.

요동치는 폭풍우를 이겨내고 잔잔해진 해원, 연기를 내뿜는 이탈리아 시실리 섬의 에트나 화산을 멀리 바라보며 신비감에 휩싸인다. 메시나 해협을 지나 드디어 프랑스 마르세유 항구에 도착한다.

1920년 5월 26일 독일 뮌스터슈바르차아 베네딕도 수도원에 짐을 푼 한 달 후쯤 6월 29일 국내 대구지방법원에서는 궐석재판으로 이미륵(이의경)에게 2년형을 선고한다.

미륵은 수도원에서 8개월 동안 머물며 복학 준비를 한다. 독일에 도착한 지 반 년이 지나 큰누나로부터 어머니가 아들을 그리워하며 앓으시다 별세했다는 편지를 받는다. 당신의 목숨보다 더 귀하게 여기며 사랑해주셨던 어머니의 부고는 이미륵에게 크나큰 상처로 남는다.

1921년, 경성의전의 학점을 인정받아 뷔르츠부르크대학 의과대학에 입학하는 과정까지의 여정은 아직 촌티를 벗지 못한 내게도 색다른 간접경험이었다. 세계지도를 펼쳐놓고 그 시절로 돌아가 노선대로 따라가는 재미가 있었다.

뒤이어 구입한 『그래도 압록강은 흐른다』와 『무던이』를 읽었지만, 작가에 대해 더 많이 알고 싶은 호기심은 충족하지 못하고 많은 세월이 흘렀다.

독일 망명 작가 이미륵에 대한 관심의 확장은 문학해설사 강의 준비하면서 '콘텐츠 찾기' 작가의 명단에 1순위로 올렸다. 1955년 전혜린 작가에 이어 1965년 뮌헨대학으로 유학갔던 정규화 교수가 '이미륵의 발자취를 찾아 40년'이나 심혈을 기울인 덕분에 이미륵 작가에 대한 갈증이 어느 정도 해갈되었다.

이미륵 작가는 건강 악화로 휴학하다가 1925년 여름, 독일 문화의 도시에 있는 뮌헨대학으로 옮겨 안젤름 샬러 소개로 동물학 박사 빌헬름 괴취 교수를 만나면서 전과하여 동물학, 생물학, 철학을 공부, 1928년 7월 18일 한국인으로서는 처음으로 동물학 박사학위를 받는다. 그 대학에서 동양학부 초빙교수로 근무하며 훌륭한 제자들을 배출한다.

1931년부터 독문으로 글쓰기 시작, 1946년에 출간한 독문 소설 『압록강은 흐른다』가 45년 패망 후 좌절과 실의에 빠진 독일인들에게 큰 반향을 일으켰고, 그 당시 중고등학교 교과서에 실려 한국을 유럽에 널리 알리는 효과도 있었다.

이미륵 작가가 투병하다 작고(1950년 3월 20일 51세)한 지 5년 후, 뮌헨대학교로 유학 갔던 전혜린 작가는 이미륵 작가의 고국에서 왔다 해서 환대를 받았고, 10년 후 1965년 정규화 교수 역시 뮌헨대로 유학 갔을 때 이미륵 작가에 대해 많은 얘기를 듣고 이미륵 작가의 발자취를 찾기 시작했다는 얘기가 잔잔한 감동을 주었다.

마침 독일에 거주하고 있는 조카의 초청을 받아 지난 12월 14일에 뮌헨을 찾았다. 제일 먼저 찾아간 곳은 이미륵 작가가 박사학위를 받았고, 그곳에서 동양학부 강의를 했던 뮌헨대학교였다.

대학교 내에 단과대학이 모여 있는 우리의 대학과 달리 그곳 단과대학들은 시내 이곳저곳에 흩어져 있었다. 석축으로 둘러싸인 웅대한 본관에서 역사의 흔적을 엿보며 40년대 그곳에서 유창한 독일어로 열강하여 지나가던 학생이 들어와 청강하고, 의대생이 전과까지 할 정도였다는 이미륵 작가를 생각했다.

이미륵 작가의 숨결을 느끼고자 주 활동지역인 슈바빙 거리와 낚시를 즐겼다는 이자르 강을 찾았으나 소개되었던 사진 속의 환경과는 딴판이었다. 발전할 대로 발전한 도심에서 70년 전의 환경은 상상이 되지 않았다.

전혜린이 찾아갔던 작가의 초창기 무덤은 다른 곳으로 옮겨졌다 해서 조카의 안내를 받아 그래펠핑 시의 외곽으로 나갔다. 광활한 들판과 전원적인 독일풍의 촌락을 지나고 한참 동안 달리니 앱 지도가 멈춘다.

고즈넉한 묘소엔 수많은 비석이 옹기종기 모여 있었다. 그 많은 묘소에서 어떻게 찾을까 했지만, 묘소 지도가 있어 쉽게 찾았다. 한눈에 봐도 한국인의 묘소다. 한국의 비석과 상석이 보이고 생전에 괴테의 생가에서 가져다 집에 심을 정도로 좋아했다는 아이비 넝쿨이 겨울 날씨에도 초록의 싱싱함을 자랑하고 있었다.

상석 위의 낙엽들을 치우고 잠시 고개 숙여 고인의 명복을 빌었다. 광복을 위해 그토록 애썼던 작가 이전에 애국자였던 이미륵(이의경), 글과 행동으로 한국을 만방에 알리는 일에 혼신을 다했던 작가, 이국만리에 잠들어 있음이 안타까웠지만, 생전에 유럽인들과 친교하며 평화롭게 살았으니 그곳이 오히려 편안하지 않을까 싶다.

한겨울의 광풍이 몰아친다. 어서 떠나라고 독촉하는 것 같다. 작가의 생애를 되돌아보며 왔던 길을 되돌아 나오려니 쓸쓸함이 마음속까지 스며들었다.

마르쿠스 아우렐리우스 황제

121년 4월 로마에서 태어난 마르쿠스 아우렐리우스는
8세에 아버지를 잃었지만, 명망 있는 할아버지가
최고의 스승들을 집으로 모셔 놓고 교육 시켰다.

영리하고 재주가 뛰어난 어린 아우렐리우스는
할아버지의 인척인 하드리아누스 황제의 눈에 띄었고,
황제는 아우렐리우스를 '진실한 사람'이라고 부르며
황제의 후계자로 지목한 안토니누스 피우스에게
양자로 입양하도록 명하여 통치자 훈련을 받도록 한다.

그 당시는 황제의 자리를 아들에게 대물림하지 않고,

유능한 신하 중에서 후계자를 지명했다.

하드리아누스 황제가 서거하자,
양아버지이며 고모부인 안토니누스 피우스의 딸과
결혼하여 황제가 되기 위한 수순을 밟는다.

양아버지가 황제 자리를 계승하여 다스리는 동안
로마제국은 평화와 번영의 시기였고,
황제의 양아들이자 사위인 마르쿠스 아우렐리우스는
최고의 학자들 밑에서 여러 학문을 접한다.

그중 자신의 내성적인 성격에 맞는 스토아철학에
이끌려 정신적 지주로 삼는다.

안토니누스 피우스 황제가 죽은 뒤,
하드리아누스 황제의 뜻을 받들어 함께 입양되었던
양아우 루키우스 베루스와 로마 역사상 최초 공동 황제로
즉위하여 161년부터 180년까지 로마제국을 통치한다.

황제 시절, 전염병과 홍수, 지진 등 자연재해와 전쟁으로

로마의 번영과 평화의 시절은 저물어갔지만,
마르쿠스 아우렐리우스는 로마제국 5현제의 마지막 황제로, 고대철학자로 지금까지 존경받고 있으며,
그의 저서 『명상록』은 세계 각계각층에서 애독서로 읽히고 있다.

그 시절, 황제로 살면서도 검소했다는 철학자의 소박한 인품이 고스란히 담긴 『명상록』은 두고두고 인생의 지침서로 삼아도 손색이 없다.
새삼 진리는 영원불변함을 깨닫는다.

만해마을

「님의 침묵」이 부부의 인연을 맺게 해주었다고 믿는 남편은 만해마을 답사에 적극적이었다. 그 덕분에 아주 편안하게 호사를 누리며 화천 평화의 댐에 들렀다가 인제 만해마을로 가는 길이 마냥 즐거웠다.

맞선본 남자와 함께 한용운의 「님의 침묵」이란 뮤지컬을 보았다. 자리가 없어 맨 뒤에서 깨금발을 들고 보았지만 가슴이 뭉클했던 기억은 지금도 생생하다. 뮤지컬을 보고 나온 남자는 두 번째 만남에서 청혼했다. "결혼할 수 있느냐"고. 그렇게 종가의 노총각과 노처녀는 달포 만에 결혼하고 삼 남매 낳아 키우며 그런대로 30년 이상을 잘 살아왔다.

남편은 34년의 공직생활을 끝내고 정년 퇴임하면서 "우리는 만날 때에 떠날 것을 염려하는 것과 같이 떠날 때에 다시 만날 것을 믿습니다." 한용운 시로 퇴임사를 마무리했다.

먼 거리지만 추억을 반추하며 달리다 보니 어느덧 만해마을이 눈앞에 들어온다. 용대리 다리를 건너자 설악의 골바람이 맞아준다. 아직 해는 서산마루에 걸쳐있고 볼거리가 많으니 무엇부터 할까. 사진부터 찍어 저장했다.

해마다 만해마을에서 문학 행사가 있었지만 참석한 적이 없어 백담사 아래에 있는 '만해마을'은 꼭 한번 오고 싶었던 터다. 처음이라 어느 건물로 들어가야 할지 몰라 전화로 물었더니 '문인의 집' 건물로 들어오란다. 제법 큰 건물에 들어가 예약 확인하고 숙소인 4층으로 올라갔다.

아주 깨끗한 방이다. 침대와 침구가 흰색이어서 더 청결하게 느껴진다. 높은 산자락이 눈앞에 보이고, 여린 이파리로 단장하기 시작한 봄 숲이 한 폭의 산수화를 그려내고 있다. 바라만 보아도 마음이 정화된 듯하다.

숙소에 짐을 풀고 안내도를 따라 백담사로 향했다. 바람이 차갑고 아무래도 길이 멀 것 같다며 남편이 차를 가지러 간 사이, 만해마을을 스마트폰에 저장했다.

코앞이 백담사인 줄 알았는데 자동차로 한참을 더 갔다. 유명한 곳에 관광객이 하나도 안 보였다. 해거름이라 그런가 싶었는데 음식점마다 불만 켜져 있을 뿐 인기척이 없다.

알고 보니 산불 예방 기간인 5월 중순까지 입산 통제라 그랬던 것. 초행인 우리는 그 사실을 백담사 초입에 가서야 알게 되었다. 입구에서 백담사까지 7km라며 금세 어두워지니 가지 말라는 백담사 관계 직원의 말을 듣고 되돌아왔다.

식사할 식당이 없어 인제읍으로 몇 킬로미터를 달려가다가 눈에 띄는 집에서 샤브샤브로 대충 해결하고 왔다. 비수기엔 식사할 곳이 마땅치 않아서 그랬던 것일까.

아침 식사하려면 미리 주문해야 된다는 만해마을 직원의 말뜻을 그제야 이해했다. 오찬 1식이면 어떤가. 편안하게 따뜻한 밥 한 끼 먹으면 그만이지. 아침 식사를 주문하고 숙소로 올라왔다.

세찬 봄바람이 한바탕 춤사위를 벌이며 달아나고, 금세 어두워진 내설악의 밤이 깊어 간다. 물소리가 가물거린다. 이른 봄이라 북적이지 않고 한적해서 좋다. 조용한 곳에서 글만 쓰며 몇 달 지내봤으면….

「테마가 있는 안양소리 여행」의 공연을 보고

익숙한 광경이다. 친근감이 간다. 옛 추억이 달려온다.

아낙들이 모여 수다를 떨며 디딜방아 찧기, 바느질하기, 물레 돌리기, 다듬이질, 풀 먹이, 맷돌 돌리기, 절구통에 방아 찧는 장면이 까마득한 옛 시절로 몰고 간다.

유년 시절, 10리 길 학교에서 돌아오면 할머니는 안방에서 물레 돌리고, 고모들은 마루 한쪽에서 이불 홑청에 풀 먹이 하여 다듬이질하고, 숙모는 우물 옆에서 보리 방아 찧느라고 절구통이 쉴 날이 없었다. 밤마다 호롱불 아래에서 바느질하던 할머니의 모습이 스쳐 지나간다.

1막의 '아낙 일소리'에서 「사촌성님」, 「베틀가」, 「디딜방아」, 「내 복장치고」, 「이거리저거리」의 민요가 귀에 익다. 사라졌다고 생각했는데 우리의 민요를 계승 발전시키기 위해 애쓴 분들이 계신다니 얼마나 다행인가.

2막의 '명학이여 나빌레라'에서는 새로운 정보를 얻었다. 숱하게 들고나던 명학역, '학이 우는 곳'이 명학鳴鶴이었고, 그 옛날에 과거 보러 가던 선비들이 꼭 들러가는 주막이 있었으며, 학이 울면 주막에 묵었던 선비 중에 장원급제가 나온다 하여 과거시험 때만 되면 많은 선비가 모여들어 성황을 이루었다는 얘기가 흥미롭다.

잘 알려지지 않은 이야기를 발굴하여 무대에 올린 아이디어가 좋고, 재현한 주막에서 선비들과 사당패 소리꾼들과 안양소리와 경기민요가 어우러진 단막극은 어깨춤이 절로 나올 정도로 흥겹다.

3막 '어얼씨구 활대를 당겨라' 활 쏘는 소리가 이색적이다. 현재 호계동에는 국궁 활터가 있고, 비산동에는 양궁 활터가 있다는 것은 안양의 비산, 호계, 안산의 활터에서 해마다 돌아가며 세 차례의 활쏘기 대회가 있었다는 유래를 뒷받침 해주는 게 아닐까.

세 지역에서 서로 초청하여 개최한 '활쏘기 대회'에 기녀들이 참석하여 과녁을 맞히면 '활쏘기 소리'로 흥을 돋웠다는 걸 보면 잔치 분위기의 성대한 행사였나 보다.

몇몇 관객이 선비로 분장하고 나가 활 쏘는 장면과 흥을 돋우는 기녀들과 옛 복장을 한 포졸들의 등장이 무대의 열기를 배가시킨다.

마지막으로 전 출연진이 나와 인사하는 것으로 '안양소리' 보유자 안희진 선생이 감독한 「테마가 있는 안양소리 여행」의 공연은 막을 내렸지만, 감동의 여운이 오래오래 귓가에 맴돈다.

작품 속의 오류

독자들의 전화나 문자가 없었다면 모르고 지나갈 뻔했다. 그토록 퇴고하고 교정을 몇 번씩 보는데도 작품 속의 오류가 종종 발견된다. 원인이 뭘까 자가진단을 해본다. 글 쓰는 과정에 문제가 있다는 걸 깨닫는다.

초고는 무조건 습작 노트에 쓰던 예전의 아날로그 방식을 벗어나면서 문제가 빈번해졌다. 언제부터인가 오랫동안 구상했던 글감을 컴퓨터에 직접 습작하기 시작했다. 옮겨 쓰는 번거로움을 줄이는 편리함은 있었지만, 문장을 한 번 더 읽고 다듬는 과정이 줄면서 오자나 오류가 나와도 보이지 않았다. 머릿속 생각으로 읽기 때문에 바로 코앞의 오자도 발견하지 못하는 일이 생긴 것이다.

지금까지 다양한 글들을 1,000편 넘게 쓰다 보니 알게 모르게 오자와 오류가 나온다. 생각과 다르게 엉뚱한 단어를 두드리는 경우가 있다. 직접 노트에 습작해서 컴퓨터로 옮기는 아날로그 방식이 이러한 오류를 줄일 수 있는데, 이젠 너무 멀리 와 버렸다. 작업 속도가 빠르고 퇴고하기 편리한 컴퓨터에 익숙해진 탓이다.

작품집 출간 전에 퇴고와 교정을 여러 번 거치지만 본인이 쓴 글은 본인 생각대로 읽기 때문에 눈앞의 오자가 들어오지 않는다. 그래서 타인이 한번 읽고 봐주면 좀 더 오류를 줄일 수 있고, 맞교정은 제3자가 봐주면 더 좋다.

제법 교정도 볼 줄 알고 문학에 관심이 많은 막내아들의 도움을 받곤 하는데 내용보다 교정에 초점을 맞추다 보니 오류를 발견하지 못하고 넘어가는 경우가 있다.

동인지 머리말에서 '진도 세월호'를 '진주 세월호'로 오자가 나온 것도 모르고 있다가 독자의 지적을 받고서야 알았다. 동인지라 두세 사람이 교정을 봤지만 모두 맞게 썼을 거라는 생각에 오자를 발견하지 못한 것이다.

구름카페 수상집 『들길을 걸으며』에 실린 「명작인 이유」에서는 후배 동인의 말을 듣고서야 알았다. 내용에 관심이 있는 독자를 만나면 오류는 금세 눈에 띄기 마련이다.

도스토옙스키의 『죄와 벌』이 들어가야 할 자리에 톨스토이의 『부활』을 넣었다. 톨스토이의 작품을 나열하면서 중간에 다른 러시아 작가의 이름을 넣었거나 작가와 작품을 착각한 것일 수도 있다. 몇 번을 읽었는데도 발견하지 못한 것은 자신을 과신한 탓이다. 한 번씩 이런 일을 겪고 나면 더 이상 오류가 발생하지 않도록 신중하게 된다.

작품 속의 오류는 글 쓰는 작가라면 한 번씩 경험했을 것이다. 문학작품 속에 나타난 오류도 부지기수다. 대표적으로 염상섭의 『표본실의 청개구리』 해부 장면에서 청개구리는 냉혈인데 김이 모락모락 나온다고 한 것이나, 다른 곡식과 달리 익어도 모양이 변하지 않는 보리가 익으면 고개를 숙인다고 한 표현, 음력 초파일을 전후로 개화하는 불두화와 7, 8월에 개화하는 수국은 닮은 듯 다르다. 그런데도 수국과 불두화를 동일하게 본 예가 많다. 한여름 무더위 속에서 피고 지는 붉은 꽃의 목백일홍인 배롱나무와 일년초 백일홍의 혼동 등을 볼 수 있다.

오래전에 받은 수필집에서 여성 최초로 노벨물리학상과 화학상을 동시에 받은 마리 퀴리를 시각과 청각장애인 헬렌 켈러로 착각하여 쓴 수필을 보고, 수필집을 보내준 감사함과 작품 속의 오류를 적어 보내드린 일이 있다. 제 눈 속의 들보는 보지 못하면서 남의 눈에 티만 보인다더니….

지명도가 있는 유명한 작가들도 실수는 한다. 인간이기 때문에 그럴 수 있다고 이해하는 것도 좋지만, 확실히 알고 써서 독자들에게 신뢰감이 떨어지지 않도록 해야겠다.

작가에게 오류의 내용을 알려야 할지 망설이거나 작가의 반응이 염려되어 선뜻 행동으로 옮기지 못하는 경우가 있다. 당연히 알려줘야 하고 작가는 감사한 마음으로 받아들여야 오류를 줄일 수 있다. 그동안 관심과 사랑으로 읽고 연락 주신 분들께 진심으로 감사드리고 싶다.

잃어버린 작품을 찾아서

체념이 빠른 것은 세월의 가르침이다. 이전 같았으면 기어이 찾으려고 밤잠을 설쳤을 테지만 지금은 다르다.

10여 년을 함께한 컴퓨터가 인내심을 키워 줄 만큼 느리긴 해도 필요한 기능은 제대로 하고 있어서 바꿀 생각을 안 했다. 새로움의 변화가 두려워서….

첨단시스템을 갖춘 컴퓨터와 노트북의 유혹을 밀어내는 동안 애써 저장했던 새로 쓴 작품들은 나와 결별의 준비를 한 듯 모두 사라졌다.

며칠 전부터 오류 발생 창이 뜨고 업데이트마저 안 된다는 경고를 무시하고 외장하드에 바탕화면의 파일을 옮기는 도중에 일어난 참사다.

10여 년 전에도 똑같은 일이 일어났다.

전문가를 동원해 복구하려 했으나 실패하고 새로 쓴 작품들과 헤어졌다. 그때는 아깝고 속이 무척 상해 여러 날을 악몽에 시달렸다.

그런데 이번엔 달랐다.

죽고 사는 문제도 아닌데 그까짓 30여 편의 작품이 날아간들 대수인가. 복구프로그램으로 잃어버린 작품을 찾을 수 있다면 그보다 좋을 순 없겠지만, 나와 인연이 안 돼 떠난다면야 별수 있겠나.

그러다가도 아까운 생각이 드는 것은 다시는 같은 글을 써낼 자신이 없기 때문이다.

아이들의 조언대로 D 드라이브를 만들어 저장했으니 망정이지 하마터면 책 2권 분량의 작품들을 몽땅 잃을 뻔했다. 그나마 다행이다 싶어 놀란 가슴을 쓸어내린다.

최근에 발표된 작품 몇 편은 보낸 메일에서 찾고, 나머지 작품들은 그 흔적을 찾아 뒤적였더니 습작 노트에 초고가 남아 있어 그걸 다시 다듬어 쓴 작품이 10개가 넘으니 반은 건진 셈이다.

컴퓨터에 직접 습작하는 편리함보다 습작 노트에 썼다가 컴퓨터로 옮겨 저장하는 아날로그 방식이 이처럼 유용하다니. 될 수 있으면 습작 노트에 습작하는 옛 방식을 되찾아야겠다.

그래야 똑같은 일을 다시 겪지 않을 테니….

선생님과 함께한 20년

3월 24일 토요일, 시골 가는 중에 문자를 받았다.

'부고'란 공지가 먼저 눈에 띄어 설마 우리 선생님은 아니겠지 했는데….

지난 3월 12일, 화요문학 모임을 하루 앞두고 통화할 때만 해도 3차 항암치료 차 신촌세브란스 병원에 계신다는데 목소리가 아주 밝고 카랑카랑해 다행이다 싶었다. "선생님, 치료 잘 받으시고 힘내셔요. 저희 모임은 걱정 마시고요" 했더니 "그래, 고마워" 하셨다. 그래서 꽃피는 4월에는 활기찬 모습의 선생님을 뵐 수 있을 것이라 기대했는데 돌아가시다니 믿어지지 않는다. 눈물이 앞을 가리고 지난 일들이 주마등처럼 스쳐 간다.

선생님을 처음 뵌 것은 화요문학회에서다. 1997년 4월 23일(수) 문예회관에서 '제11회 안양시 여성예능대회' 시상식이 있었고, 5월 23일(화) 화요문학회 모임에 처음 참석했으며 모임 장소인 만안구청 대회의실에서 김대규 선생님을 만났다.

직장생활하면서 열심히 썼던 글쓰기는 전업주부로, 세 아이의 엄마로, 만학도로 사느라고 뒤로 밀려났다. 방송통신대 국문과를 졸업하고, 늦둥이를 낳은 지 10달 만에 발들인 화요문학회, 모든 게 낯설고 불편했지만, '작가가 되라'고 조언하셨던 직장 상사의 말대로 꿈을 이루기 위해 빠지지 않고 다녔다. 친정아버지가 돌도 안 지난 늦둥이를 돌보기 위해 매달 화요문학 모임에 맞춰 올라오셨다.

그 당시 안양살이 10년이 넘었지만, 안양에 대해서 아는 게 없었고, 김대규 시인이 그토록 훌륭한 분이란 것도 몰랐으나 시간이 지나면서 알게 되었다. 유명한 시인을 만나 문학공부한다는 자부심은 꺼져가는 문학에 대한 불씨를 되살리기에 충분했다.

고지식하고 융통성이 없는 성격으로 적응하기가 녹록하지 않았지만 오로지 선생님만 바라보며 열심히 습작했다. 1999년에 등단하고 2001년에 첫 작품집을 출간했을 때, 선생님은 기꺼이 축하해 주셨고, 한국문단 최초의 동수필집 『복희 이야기 1, 2』와 몇 권의 작품집에 애정 어린 서평으로 날개를 달아주셨다.

어느 날인가, 화요문학회에 따라다니던 세 살배기 늦둥이가 물었다.

"엄마 선생님은 왜 할아버지야?" 하고. 그때 선생님은 50대 후반으로 중후한 멋을 지닌 시인이었다. 그 늦둥이가 대학생이 되어 공부보다 예술계에 관심이 많아 백일장에 나가고, 연극을 하고, 단편영화를 찍더니 예술인패스까지 발급받았다.

선생님은 2006년에 출간한 『복희 이야기 2』 서평을 마무리하면서 이렇게 쓰셨다.

매달 한 차례씩 모이는 「화요문학」 동인회에 김미자는 첫돌이 갓 지난 아기를 데리고 왔다. 그 아기가 이제 11살, 초등학교 4학년이니 바로 '복희'의 한때를 보내고 있는 것이다. 그 아이가 이다음에 어머니처럼 또 다른 '복희 이야기'를 써낸다면 거기에 내 얘기도 나오지 않을까, 공연한 망상에 잠겨본다.

선생님의 부탁을 받고 부족한 실력이지만 고맙고 감사한 마음의 보답으로 『사랑과 인생의 아포리즘 999』와 『해설은 발견이다』의 원고 정리를 해드렸다. 『안양문학 60년사』, 『당신의 묘비명에 뭐라고 쓸까요』 등을 교정보면서 선생님에 대해 좀더 깊이 알게 되었고, 선생님의 문학세계까지 공부할 수 있었다.

화요문학회 회장을 맡은 2010년부터는 한 달에 한 번 이상 선생님과 통화했다. 모임 전날, 선생님의 안부를 묻고 모임에 오실 수 있는지 여쭸고, 동인들의 애경사나 축하할 일이 생길 때마다 전화로 소식을 알려드렸다. 오랜 투병 중이라 선생님의 목소리에 신경이 쓰였다. 힘이 있고 밝으면 안도하고 기운이 없는 목소리면 가슴이 철렁했다.

동인들이 많이 참석하면 기념으로 사진을 찍었고, 또 기회 있을 때마다 기념사진을 찍자고 했더니 "내가 죽을까 봐 그러느냐?"고 하셨다. 웃으면서 "선생님, 골골 팔십이래요" 해놓고 너무 버릇없이 던진 말에 스스로 민망했다. 그때가 2012년이었다.

2016년, 작가의 고향에 마련된 문학관을 선정하여 탐방 길에 나섰다. 그즈음 안양시에서 삼덕도서관에 〈문향 문학관〉 건립을 준비하고 있어서 탐방 계획에 〈문향 문학관〉도 포함시켰다.

서울, 경기, 충청, 강원, 전라, 경상도까지 작가의 고향에 마련된 38곳의 문학관은 저마다 다양한 형태로 눈길을 끌었다. 지자체마다 잠깐 살다 떠났는데도 고장의 자랑으로 여겨 작가를 부각시키며 홍보하기 위해 심혈을 기울인 흔적이 역력했다.

〈문향 문학관〉 건립에 도움이 될까 하여 열심히 사진을 찍어 참고자료가 될 수 있도록 했는데, 안타깝게도 선생님의 문학관 건립은 무산되고 말았다. 실망감이 컸다. 우리의 마음이 이렇듯 아릿한데 선생님의 심정은 오죽할까 싶으니 그 마음이 헤아려졌다. 선생님을 위해서라도 뭔가 해야겠다는 사명감이 생겼다.

이미 계획에 있던 터라 문학관은 없지만 태어난 곳에서 77년을 살고 계시는 집이 더 의미 있겠다 싶어서 다른 문학관처럼 직접 찍은 사진을 넣어 「안양 토박이 시인 김대규」를 조명했다.

화요문학 모임 때 퇴고한 원고 25매의 글을 선생님께 드렸다. 먼저 집에 가셨던 선생님이 곧바로 전화하셨다. 어떻게 그런 글을 썼느냐고 마음에 큰 위로가 되었다며 무척 고마워하셨다.

그제야 제자로서 할 일을 했다는 안도감이 들었다. 그로부터 3개월 후 『함께 떠나는 문학관 여행』이 출간되었고, 선생님께 5권을 선물로 드렸다.

『함께 떠나는 문학관 여행』에 실린 글 「안양 토박이 시인 문향 김대규」는 안양예총에서 발간하는 『안양예술』 '특별기고'란에 실렸다. 그 글이 단초가 되어 선생님의 문학관이 건립되기를 염원했다.

그런데, 40년 동안 한결같은 마음으로 우리 화요문학을 지도해 주셨던 선생님은 동인들에게 이별의 기회도 주지 않고 황망히 떠나셨다. '화요문학회 40주년 특집호' 출간도 보지 못하고, 동인들에게 글감만 주고 그렇게 멀리 가셨다.

우리 화요문학 동인들은 선생님이 살아계신 듯 역사를 이어갈 것이지만, 「안양 토박이 시인 문향 김대규」란 글이 선생님께 드리는 마지막 선물이었고, 선생님과 함께한 20년에 마침표를 찍었다.

선생님의 명복을 빌며 가시지 않는 슬픔을 달래 본다.

(2018년)

오감을 사로잡은 곡

컴퓨터로 작업할 땐 음악을 듣는다. 청춘 시절에 들었던 영화음악, 명상음악, 경음악, 클래식 등 귀에 익은 음악은 추억을 상기시켜 주기도 하고, 꿈 많던 시절로 데려다주기도 한다.

자판기를 두드리다가 오감을 사로잡은 곡에 매료되어 그대로 멈추었다. 애절하게 흐르는 선율은 가슴을 적시며 무아의 경지 속으로 밀어 넣는다. '심금을 울린다'는 표현이 이럴 때를 두고 하는 말일 게다.

기억에 없는 클래식 곡을 반복 재생하여 여러 번 들었다. 들으면 들을수록 묵직한 슬픔을 자아낸다. 비가 올 것 같은 우중충한 날씨 탓인가. 블랙홀에 빠지듯 음악 속으로 빨려 들어간다. 왜 그렇게 가슴을 저미게 하는지. 감정이 음악에 조종당하는 걸 좋아하는 편이지만 이건 뭔가 다르다. 창작을 멈추게 할 정도로 가슴 저리게 하는 음악의 정보가 궁금했다.

「아다지오」로 알려진 「현과 오르간을 위한 아다지오 G단조」는 1671년에 태어난 이탈리아 작가 토마소 알비노니의 대표작으로 많은 사랑을 받아오고 있지만, 원래는 미완성작품이었단다.

레오 지아조토로는 알비노니의 전기를 쓴 음악학자다. 알비노니의 음악을 연구하던 중 미완성 작품을 발견, 나머지 부분을 완성한 후 1958년에 발표하면서 「아다지오」가 널리 알려지게 되었고, 알비노니의 대표작으로 회자되고 있다.

토마소 알비노니는 이탈리아 베네치아 종이 제조업자 집안의 장남으로 부유한 어린 시절을 보냈다. 가업을 이어받아 사업가가 되었지만, 음악을 좋아해 사업과 작곡 활동을 병행하며 23세 때 첫 오페라 「팔미라의 여왕, 제노비아」를 발표하였고, 트리오 소나타집 등 여러 작품을 남겼다. 1709년 부친이 사망한 후에는 가업을 접고 음악에 전념하여 50편의 오페라와 수많은 곡을 남긴 음악가로 알려졌다.

알비노니의 「아다지오」는 영화에도 자주 등장한다. 「갈리폴리」는 1915년 1차 세계대전 때, 영국과 프랑스 연합군 7만 명이 터키의 갈리폴리에 상륙했으나, 독일군과 터키군의 공격으로 실패, 치열한 전투로 연합군 사상자 25만 명, 터키군 21만 명 등 약 50만의 사상자를 내고 6개월 뒤 갈리폴리에서 철수한 내용의 전쟁 영화다.

최후의 전투에서 흐르는 알비노니의 「아다지오」는 참혹하고 비참한 장면을 고조시킨다. 이 곡이 「갈리폴리」란 영화를 통해서 더 많이 알려지지 않았을까 할 정도로 긴 여운이 남는 영상과 음악이다.

2017년 89회 아카데미 각본상과 남우주연상을 낸 영화 「Manchester by the Sea」를 감상하다가 또 한 번 슬픔이 깔린 절망을 맛보았다. 보스턴에서 아파트 관리인으로 사는 주인공 리 챈들러는 형이 위독하다는 소식을 듣고 고향으로 향한다. 오랫동안 고향을 등졌던 리의 마음은 착잡하다. 잊히지 않는 과거들이 주마등처럼 스쳐 가면서 알비노니의 「아다지오」가 흐르기 시작한다.

형이 죽으면서 조카 패트릭의 후견인으로 지정해놓고 약간의 유산을 남겼지만 내키지 않는다. 철없는 조카가 성년이 될 때까지 돌볼 자신이 없다. 아직도 악몽 같은 과거가 리 챈들러를 붙들고 있어 감정의 굴복이 심하다.

벽난로에 장작을 넣고 차단막 설치하는 걸 잊고 맥주 사러 20분 거리의 미니 슈퍼에 다녀와서 보니 집이 불타고 있었다. 알비노니의 「아다지오」는 어린 두 아이가 시신으로 발견되고, 기절했던 아내가 앰뷸런스에 실려 가는 장면을 고조시킨다.

그 광경을 바라보는 리 챈들러의 처참한 심경과 흐르는 음악이 감상자의 마음을 후빈다. 절망과 슬픔이 그대로 전해온다. 설명이 필요 없다. 단란하게 살던 리 챈들러는 뜻하지 않은 화마로 두 아이를 잃었고, 아내마저 곁을 떠났다.

경찰 조사에서 리의 단순 실수임을 인정하여 풀려나긴 했지만, 살고 싶지 않은 마음에 경관의 총을 빼앗아 자살하려 한다. 하지만 그마저 뜻대로 하지 못했던 리 첸들러는 고향을 떠나 이웃과 단절하고 감정을 억제하며 철저히 혼자가 된다.

불행한 사고로 인해 헤어졌던 예전의 부부는 고향인 맨체스터에서 우연히 만난다. 이미 재혼하여 아기 엄마가 된 전처 랜디는 과거에 잘 못해준 걸 사과하며 함께 식사라도 했으면 하지만 리는 자리를 피한다. 만나면 아물지 않는 상처가 덧난다는 걸 누구보다도 잘 알고 있기 때문이다. 두 사람의 아픔이 그대로 전달된다.

사사건건 갈등하고 부딪히던 철없는 조카와 서로를 알아가고 이해하며 영화는 끝나지만, 「아다지오」는 뇌리에서 떠날 줄 모른다.

매창과 나의 호號

2002년 한국문인협회 가입 당시 같은 이름이 있다며 다른 이름으로 등록하라 해서 뜻하지 않게 호를 갖게 되었다.

지금은 고인이 되신 서예가 우강 이병천 선생님께 호를 지을 때, 매화나무 '매梅'자를 꼭 넣어달라고 했더니 고향인 부안에 물이 많다 하여 물 '강江'자를 넣어 '매강梅江'이라 지어 주셨다.

처음엔 호를 쓴다는 게 몹시 쑥스러웠다. 주변에 연세 드신 선생님과 선배들이 계시는데 조금 주제넘은 것 같기도 하고, 건방진 느낌이 들기도 했던 것은 호는 이름 있는 예인들이나 사용하는 것으로 생각했기 때문이다.

호에 매화나무 '매'자를 고집했던 이유가 있다.

여중학교 때였다. 봄 소풍 다녀오는 길에 영문도 모르고 수풀이 우거진 논길과 밭두렁을 지나 공동묘지에 가서 단체로 참배했다. 누구의 묘인지도 모르고 초라한 봉분 앞에 일렬횡대로 서서 머리를 조아렸는데 알고 보니 '이매창'의 묘였다.

몇 년 후, 여고 졸업 특강 시간에 들어오신 교감 선생님은 이매창에 대한 얘기와 시조 한 수를 바리톤으로 멋지게 낭송하셨다.

> 이화우 흩뿌릴 제 울며 잡고 이별한 님
> 추풍낙엽에 저도 날 생각난가.
> 천리에 외로운 꿈만 오락가락 하노라.

꿈 많고 감성이 풍부했던 여고 시절, 명기였던 매창이 유희경을 그리워하며 지었다는 시조를 재음미했다. 그때부터 매창에 대해 관심을 갖게 되었고, 심연에 문학의 싹이 움트기 시작했다.

부안 매창뜸 공동묘지에 누워있던 이매창을 세상 밖으로 끌어올린 분들이 계신다. 우리 고장 출신인 신석정 시인과 가람 이병기 시조 시인, 정비석 소설가, 고하 최승범 선생님이 이매창을 재조명하면서 논문들이 쏟아져 나왔다.

이에 발맞춰 우리 고장에서도 매창이 시인 묵객들과 창수했던 부안읍 성소산 서림공원에 시비 「이화우 흩뿌릴 제」를 세우고, 공동묘지는 '매창공원'으로 탈바꿈시켰다.

매창은 이슬을 머금은 매화를 좋아하여 스스로 '매창'이라는 호를 지어 불렀고, 30여 년 연상의 예법가 촌은 유희경과 사랑에 빠져 지내면서 주옥같은 정한情恨의 시들을 남겼다.

시 문장가로 이름을 떨쳤던 촌은 유희경은 신분이 낮았음에도 국상國喪이나 사대부가의 상喪에 초대되어 상례喪禮를 진행하던 예법가요, 효와 우애 또한 자타가 공인했으며 부부간의 금실도 좋아 5남 1녀를 두었을 정도다.

그러함에도 매창의 시와 예藝에 매료되어 파계했고, 매창에 대한 시도 여러 편 남겼다. 유희경은 매창을 처음 만난 날 「증계랑贈癸娘」이라는 칠언절구를 바쳤다.

曾聞南國癸娘名(증문남국계랑명)
일찍이 남국의 계랑이라는 이름 들었는데
詩韻歌詞動洛城(시운가사동락성)
시구와 노래 솜씨 서울에까지 진동했지
今日相看眞面目(금일상간진면목)
오늘 만나 진면목 대하고 보니

却疑神女下三淸(각의신녀하삼청)
무산 신녀가 삼청三淸에 내려온 듯하여라

매창은 또 28세 때, 세금 걷으러 온 32세의 허균과 처음 만난다. 허난설헌이 죽은 지 12년 후의 일이다. 호색가였던 허균이었지만 매창을 이성으로 보지 않고 문우로 대한다. 허균은 시를 잘 짓는 매창의 모습에서 일찍 떠난 누이의 모습을 발견했는지도 모를 일이다.

매창은 광주 목사에서 파직되어 부안현 우반골짜기 정사암에서 잠시 지내던 35세의 허균과 자주 만나 우의를 다졌고, 두 사람의 우정이 10여 년이나 지속되었던 것은 이성이 아닌 동 시인으로서 교유했기에 가능했을 것이다.

관기의 신분상 어쩔 수 없이 몇몇 남자를 품었지만 정작 정을 준 남자는 촌은 유희경뿐이었다. 임진왜란 때 의병으로 떠난 유희경을 그리워하며 지은 시조 「이화우 흩뿌릴 제」를 감상하노라면 절절한 그 심정이 전해온다.

재주가 많았던 매창은 오로지 유희경만을 목매게 기다리다 세상 뜨기 4년 전에 60 중반의 유희경과 재회하여 내변산을 유람하며 행복한 시간을 보낸다. 그렇게 정인과 함께 지내며 마지막 불꽃을 사르던 매창은 병마에 시달리다 38세의 젊은 나이에 생을 마감한다.

허균은 매창에 대한 시 3편을, 유희경은 여러 편의 시를 남겼다. 도봉산 입구에 가면 촌은 유희경의 시 「계랑을 생각하며」와 매창의 시조 「이화우 흩뿌릴 제」 시비가 나란히 누워 있다. 하나의 돌에 새겨 반으로 갈라놓은 듯한 쌍둥이 시비가 행인들의 눈길을 사로잡는다.

'매창'으로 인해 문학이 싹텄고, 그 꿈을 이루어 작가의 길을 걷고 있기에 '매강梅江'이란 호에는 남다른 의미가 있다. 매창梅窓의 기를 받아 고향에서 더 많은 작가가 나오길 기대해본다.

심금을 울리는 곡

어느 카페에서 가슴 적시는 음악에 매료되어 검색해서 찾으니 「When I Dream」이었고, 어디서든 가슴 울리는 곡이 나오면 바로 찾아본다.

그렇게 만난 곡이 알비노니의 「아다지오」와 마스카니의 「카발레리아 루스티카나 간주곡」, 멘델스존의 「바이올린협주곡」, 라흐마니노프의 「피아노협주곡 2번」, 차이콥스키의 「피아노협주곡 1번」과 베토벤의 「피아노협주곡 5번 '황제'」다. 드뷔시의 「베르가마스크 모음곡」 중 3번 '달빛'도 그중의 한 곡이다.

수많은 곡 중에서도 20대의 마음을 설레게 했던 마리오 란자의 「세레나데」와 대부의 주제곡 「God Father」, 「마법의 숲」과 「가을의 속삭임」, 「솔밭 사이로 강물은 흐르고」는 지금도 즐겨 듣는다.

모르는 곡은 핸드폰 인터넷 검색창에서 음악 아이콘을 눌러 들려주면 곧바로 제목이 뜬다. 디지털 시대를 실감하며 그 편리성에 감탄한다. 음악이든 꽃 이름이든 모르면 찾아보는 게 습관이 되었다. 습득하는 양보다 빠져나가는 양이 더 많지만, 열심히 찾아 저장하고 메모해서 기억을 오래 붙잡으려고 노력한다.

네덜란드 출신의 바이올리니스트이며 '요한 슈트라우스 오케스트라'의 지휘자인 앙드레 류의 공연을 오랜만에 유튜브로 찾아 감상했다. 젊고 잘생겼던 그도 세월을 비껴가지 못하고 머리가 희끗희끗해졌다. 그래도 음악만은 더 농익고 두어 시간의 공연을 아주 유머스러하게 진행하는 앙드레 류에게 매료된다.

세계 각국을 순회하는 그의 공연은 상당히 고급스럽고 우아하며 품격이 있다. 세계 정상급의 특별출연자도 흥미롭지만, 악기든 노래든 재주가 뛰어난 어린이의 출연은 더 호감이 간다. 어린이에게 맞춰 연주하는 오케스트라 단원들의 진지한 모습이 훈훈함을 안겨준다.

아주 예쁘장한 어린이가 나와 귀엽게 인사하고 교향악단의 음악에 맞춰 오페라 「O Mio Babbino Caro」를 부른다. 어린이가 오페라를 부르는 것도 놀라운데 뜻밖의 목소리가 전율케 한다. 풍부한 발성음이 성인 소프라노 같다. 어린이의 아름다운 목소리에 감동한 관객들이 눈물을 훔쳐내고 공연장은 이내 숙연해진다. 심금을 울린 것이다.

감미로운 선율은 만국공통어다. 가사나 곡이름은 몰라도 심금을 울리는 노래에 감동하는 것은 동서고금, 남녀노소 가리지 않는다.

공연장을 감동의 도가니에 빠지게 한 아미라 빌리하겐은 네덜란드의 한 방송에서 발굴할 당시 9세의 신동으로 유럽 전역에 이미 알려져 있었다. 특별하게 교육받은 적이 없고 바이올린 켜는 동생을 돕기 위해 유튜브로 오페라를 부르기 시작했다니 놀랍지 않은가.

어린 아미라 빌리하겐에게 매료되어 밤새 유튜브를 찾아 감상하느라 시간 가는 줄 몰랐다. 2004년생인 아미라 빌리하겐도 어느새 16세의 소녀로 성장해서 유명인들과 함께 공연하느라고 바쁜 나날을 보내고 있다.

어린 아미라 빌리하겐이 부른 노래에 빠져 며칠 동안 행복했다. 어린이가 더 좋은 것은 순진무구함 때문이다. 속세의 때가 묻지 않고 잘 성장하기 바란다면 무리일까?

3

디지로그 세대

3

디지로그 세대

컴퓨터에 익숙하고 웬만한 전자기기는 불편 없이 잘 이용할 줄 알아 자칭 디지로그라 세대라 자부했다. 기회 있을 때마다 아이들에게 배우고 익히며 실습까지 해서 디지털 시대에 부응하고자 하지만, 익히는 속도보다 더 빠르게 변하는 디지털 문화를 따라잡기가 버겁다.

스마트폰에 앱을 설치하여 집에 앉아서 금융 일이나 쇼핑까지 하다 보니 밖에 나갈 일이 줄었다. 기프트콘으로 생일선물과 케이크를 보내고, 쇼핑몰에서 필요한 용품을 주문하면 다음 날 현관 앞에 배달해주는 세상이 되었다. 참 살기 좋은 세상임을 실감하며 '이 좋은 세상을 두고 어떻게 죽느냐'며 안타까워하시는 92세인 시어머니의 심정이 이해된다.

막내가 보내온 모바일교환권을 상품권으로 교환하려고 무인기 앞에 섰다. 화면에서 설명하는 대로 진행하는데 바코드를 스캔하라는 안내가 나온다. 의심 없이 핸드폰 모양이 그려진 화면에 댔다. 반응이 없다. 몇 번을 시도해도 마찬가지였다.

누군가 뒤에서 아래쪽에 바코드 스캔하는 곳이 있다고 알려준다. 과연 오른쪽 아래에서 불이 깜박이고 있다. 순간 뒷골이 뜨거워진다. 창피해서 뒤돌아보지 못하고 감사하다는 말을 전한 뒤 바코드를 스캔했더니 10만 원짜리 상품권이 나온다. 스스로 생각해도 어이없는 행동에 웃음도 나오고 창피했다. 젊은이들이 봤으면 코미디 감이라고 웃었을 것이다.

대형마트에 가면 무인 계산대가 있다. 인건비가 오르면서 무인 계산대는 더 늘어날 추세다. 그만큼 일자리가 줄어들 테니 편리성을 좇아 마냥 좋아할 수만은 없다. 쇼핑하고 계산하기 위해 줄 서서 기다리는 일이 참기 힘들다. 계산대 앞에 길게 늘어선 대열을 보니 산 물건들을 되돌려놓고 싶을 정도다.

말로만 들었던 무인 계산대 앞으로 갔다. 소비자가 물건들을 직접 스캔해서 옆의 가판대에 놓고 계산이 다 끝난 뒤에만 가져갈 수 있다. 계산 전에 물건 하나라도 옮기면 화면에서 바로 문자로 알리고, 시스템이 멈추기 때문에 담당자가 와서 해결해줘야 계속 진행할 수 있다. 처음 해보는 무인 시스템이 참 편리하고 시간도 절약된다. 이젠 길게 줄 설 필요가 없다.

무료주차장도 없어지고 있다. 영수증 금액에 비례해서 주차 시간을 허용한다. 주차장 연결 통로마다 무인기가 있다. 영수증을 스캔해서 주차요금을 상계해야 한다. 내가 모바일 교환권으로 실수했듯이 남편도 주차요금 정산 무인기 앞에서 비슷한 경험을 했단다.

영수증을 뒤집어놓고 스캔했으니 될 리가 없잖은가. 지나가던 분이 영수증 글씨가 보이도록 해서 스캔하라고 알려줘서 문제를 해결했다고.

우린 서로 실수담을 주고받으며 웃었다. 디지로그 세대들이 디지털 시대를 따라가기 버거운 세상이다. 과연 앞으로 어떤 편리성을 내세운 기기들이 나올지 염려도 되고, 기대도 된다.

행복의 척도

행복의 척도는 저마다 개인이 추구하는 가치관에 따라 다르리라.

병마에 시달려 고생하는 사람은 건강한 생활을 꿈꾸며 그것을 최고의 행복으로 여길 것이고, 경제적 궁핍에 처해 있는 사람은 돈만 있으면 행복해질 것이라고 믿을 것이며, 가정에 불화가 많은 사람은 화목을 꿈꾸며 행복의 기준을 세울 것이다.

행복한 삶이란 주어진 여건과 처한 상황에 따라 변한다고 단언하는 것은 지금까지 살아오면서 행복의 기준이 수없이 바뀌어왔기 때문이다.

50년대 후반에 태어나 개인적으로나 역사적으로 퍽 빈곤한 시대를 살았다. 그 당시에는 잘 먹고, 잘 입는 사람이 행복해 보였고, 또 그러한 사람들이 무척 부러웠다. 풍족하지 못한 시대를 살면서 배불리 먹지 못하고 일만 해야 했을 때는 배불리 먹는 것이 소원이더니 대학교에 진학하지 못했을 때는 일 안 하고 학교 가서 공부하는 친구들이 부러웠다.

사회생활 하면서 스스로 경제력을 해결할 수 있게 되었을 때는 취미생활과 외모에 신경이 쓰였다. 예쁘지는 않았지만, 인상이 좋다는 소리에 힘을 얻었다. 사회생활에 자신이 생기면서는 능력을 인정받고 싶어 노력했다.

독서삼매에 빠져 시간 가는 줄 몰랐고 클래식 음악에 심취했으며 인격을 고양하기 위해 시간을 허투루 보내지 않았다. 남보다 다른 삶을 추구하며 독특하게 살려고 애썼다. 자아실현과 성취감에 작은 행복을 맛보기도 했다.

좋은 직장에 다니며 결혼적령기가 되자 경제적으로 능력 있는 배우자를 만나는 것이 최고의 꿈이었다. 그 꿈이 이뤄진다면 무척 행복할 것이라 믿었다. 제일 중요한 성격 문제를 결혼의 차후 조건으로 생각했던 것은 경제적 어려움의 쓰라린 경험 때문이었다.

결혼하고 아이들을 키우면서 살 때는 아이들이 건강하게 잘 자라기를 기도했고, 가족의 건강을 최고의 목표로 삼았다. 이렇듯 행복의 조건과 척도는 처한 환경과 여건에 따라

수시로 변해왔다.

세 아이가 말썽 없이 건강하게 잘 자라서 제 갈 길을 가고, 남편도 무사히 정년 퇴임한 후 사무실을 개업했다. 나 역시 문학의 꿈을 이뤄 작가 생활을 하고 있으니 여기에 뭔가를 더 바란다면 과욕이다.

사람마다 가치관의 차이는 있겠지만 스스로 주어진 처지에 만족하고 감사하면서 사느냐, 아니면 불평하며 불만족 속에 사느냐에 따라 행복과 불행의 차이가 생기지 않을까.

본인의 경험에서 수시로 느끼고 있는 것은 매사에 긍정적이고 감사하며 살 때는 좋은 일이 많이 생기고, 모든 일이 순조롭게 풀리더니 짜증 내고 불평하며 사는 동안에는 인생이 암울하고 미래가 불투명하여 하루하루가 불안했다. 하는 일마다 꽉 막혀 실마리가 잡히지 않으니 몸에 이상이 생겨 병원에 다니며 치료받아야 하는 고통을 맛본 것이다.

인생을 긍정적으로 받아들여 주어진 여건에 감사하며 살 줄 아는 사람이야말로 행복한 삶을 누릴 수 있다. 행복이란 결코 멀리 있는 것이 아니라 자기 안에 있음을 몸소 경험하고서야 깨닫는다.

알면서도 실천하기가 어려운 게 '행복은 누가 가져다주는 것이 아니라, 스스로 만들어 가는 것'이다.

세대 갈등

'쌍둥이도 세대 차이가 난다'는 말은 아주 오래된 버전이다.

한 세대는 30년을 말하지만 요즘은 시시각각으로 변하는 시대이다 보니 한 세대라는 말이 무의미해졌다.

농경사회의 대가족제도에서 자란 우리는 부모 세대를 자연스럽게 받아들이고 이해하며 살아왔다. 한데 디지털 세대인 우리의 자녀들은 부모를 수직관계가 아닌 수평관계로 인식하는 것 같다. 아무리 잘난 자식이라도 천륜인 부모 자식 관계가 뒤바뀌지 않는다는 걸 모르는 것인가.

우리 사회에 세대 갈등이 심화되고 있는 것도 젊은 세대들과 기성세대들의 생각이 달라서다. 옳고 그름을 떠나서 서로 다름을 받아들이고, 시대의 변화에 부응하며 사회의 중심세

력으로 달리고 있는 젊은이들을 이해하려는 노력이 필요하다.

급속하게 변하는 사회에서 문화 혜택을 많이 받고 자란 디지털 세대들과 세대 차이가 나는 것은 당연하지만, 수직관계인 부모 자식이 수평관계가 될 수 없다는 것이다.

세 아이와 나이 터울이 3, 40년이 되다 보니 작은 사회인 가정에서조차 많이 부대낀다. 늦둥이가 9년 터울인 누나, 7년 터울인 형과 갈등하는 게 보인다. 누나와 형이 사사건건 지적하며 잔소리하는 게 싫고, 누나와 형도 자유분방한 막내의 행동과 대책 없이 소비하는 것도 거슬린다고 불평이다.

그러니 40년이 넘는 부모와 겪는 세대 갈등이야 오죽할까. 당자의 입장에서는 시대가 변한 줄도 모르고 옛적 생각으로 잔소릴 해대는 부모가 답답하고 억울한 면도 있을 것이다. 그래서 세 아이의 입장에서 각각 이해하려고 노력한다.

막내는 우리 부부를 변화시켰다. 시대의 흐름을 체감하며 내려놓고 또 내려놓는 연습이 필요했다. 공부만이 다가 아니라는 아이, 돈은 못 벌어도 하고 싶은 일을 하며 즐겁게 살다가 죽겠다는 아이의 확고한 진로를 막을 수 없었다. 결국은 인정하고 지켜보기로 했더니 갈등이 사라지고 가정에 평화가 깃들었다.

막내를 해결하고 났더니 또 한 세대 차이가 있는 큰아이와 갈등을 겪는다.

딸아이와 얘기를 하다 보면 주어가 없다, 왜 목적어가 없느냐, 논리적으로 말하라, 미괄식으로 말하다 옆길로 새지 말고 두괄식으로 말하는 게 좋다고 주문하곤 한다. 옳은 말인 줄 알면서도 부모와 자식 간에 무슨 논리가 필요하냐며 부모에게 배운 대로 말은 하지만 '논리적'이라는 말에 기가 죽는다.

논리적이지 않은 환경에서 자란 부모와 우리 세대는 논리를 운운하지 않아도, 주어와 목적어가 없어도 '거시기' 하나로도 소통이 되었는데….

자식들의 말이 당혹스럽고 씁쓸하지만 귀담아들을 필요가 있음을 깨닫는다.

지인들에게 딸 앞에만 서면 작아진다는 말을 했더니 그런 게 어디 있느냐고 반문하지만 사실이다. 아는 게 많아서 선불리 말을 건넸다가 본전도 못 찾는 경우가 허다하다. 그래서 허투루 보이지 않으려고 노력한다.

아롱이, 다롱이, 얼룩이를 키우다 보니 내 속으로 낳은 자식이 맞는지 의심스러울 때가 종종 있다. 그것도 세대의 갈등이다. 서로의 존재를 인정해 주지 않는다면 칡넝쿨과 등나무가 서로 얽혀 있는 것처럼 갈등은 풀리지 않을 것이다.

자식은 자라온 환경이 다른 부모 세대를 이해하고, 부모는 자식 세대를 인정할 때에야 비로소 평행선을 달리고 있는 세대의 갈등에서 벗어날 수 있으리라.

내기

살면서 하지 말아야 할 것은 자신에 찬 내기다.
뭔가를 걸고 하는 내기는 도박과 같다.
예부터 동서양을 막론하고 내기하다가
패가망신하고 목숨까지 잃는 경우가 많았다.

가장 인상적인 내기는 『80일간의 세계 일주』의
주인공이다.
전 재산의 반을 걸고 통 큰 내기에 성공한 주인공
영국 신사 필리어스 포의 흥미진진한 모험이
1956년 영화로 제작되어 세계의 시선을 끌었다.

프랑스 작가 쥘 베른은 당시 80일 동안에 세계 일주가
가능한가?
갑론을박하며 세간의 이목을 집중시켰던 신문 기사에서
힌트를 얻어 소설 『80일간의 세계 일주』를 썼고,
1873년에 발표했다.

지금이야 가능한 얘기지만 과학 문명이 발돋움하던
19세기에 80일 동안 세계 일주한다는 일은 흥밋거리일
수밖에 없었고, 내기를 부추기에도 충분했다.

우리는 무모하게 내기하는 경우가 종종 있다.
잘못된 판단과 식견으로 자신만만하게 내기했다가
낭패 보기 일쑤다.
몇 번 경험한 이후로 내기는 하지 않겠다고 결심했다.

그런데 창밖의 까치가 나를 내기에 밀어 넣었다.
앙상한 메타세쿼이아 나무에 집이 있는데도
옆 나무에 새로 집 짓는 까치가 눈에 들어왔다.
자세히 보니 옛집의 자재를 물어다가 집을 짓고 있다.
어떻게 그런 생각을 했을까.

어느 날, 까치 두 마리가 없어진 옛집 터에
긴 나뭇가지를 물어다 놓는 게 보였다.
까치가 집을 재건축하려나 싶어 남편에게 말했다.

남편은 새로 지은 집을 보수하는 것 같다고,
나뭇가지를 물고 가다 힘드니까 쉬는 거라며 내기하잔다.
한두 번도 아니고 매번 그곳에 나뭇가지를 옮기던데
그럴 리가 있나 싶어 지켜보자고 했다.

한 달이 넘었는데도 옛집 터가 비어 있는 것은
남편 말이 맞았다는 것을 증명한 것이다.
자신만만하게 우겼던 자신이 민망하고 쑥스럽다.
또다시 내기는 하지 말아야겠다고 결심한다.

전염병

과학과 의학이 첨단을 달리고 있는 디지털 시대에 뜻하지 않는 전염병에 시달리고 있다. 비웃기라도 하듯 사스, 메르스, 신종플루, 조류독감, 신종 코로나바이러스 등의 전염병들이 인간들을 굴종시키고 있다.

왜 이 지경에 이르렀는가.

근원을 찾아가 보면 인간이 자초한 결과다. 핵폭탄, 화학무기 개발, 농작물 증산을 위해 과도하게 사용한 농약과 화학비료 등, 발전이라는 이름으로 환경이 파괴되자 동식물들과 미생물들이 달라진 환경에 적응하기 위해 진화, 변형되기 시작하면서 우리 인간들에게까지 영향을 미친 것이리라.

문명의 이기 덕분에 풍요를 누리며 편하게 살지만, 면역력은 누리는 만큼 약해져 변형된 신종 바이러스에 견디지 못하는 결과를 가져왔다. 스스로 무덤을 판 것이다.

생활은 궁핍하고 불편한 일상이었지만 청정한 자연 속에서 살았던 우리의 과거를 돌아보면 현재의 답이 나온다. 역설적이게도 열악한 환경이 면역력을 키워줘 웬만하면 자가치료가 되었다.

그런데 언제부터인가. 환절기 때마다 찾아오는 유행성 독감이 일반화되었고, '신종 바이러스'라는 단어에 익숙해지고 있다. 38도 이상의 고열과 기침, 호흡곤란, 폐렴 등 독감과 비슷한 증세가 갈수록 심해지고 빈번해 불안감을 준다.

중증급성호흡기증후군인 '사스'가 2002년 11월 중국 광동廣東에서 발병하여 동남아시아, 유럽, 북아메리카로 빠르게 전파되었다. 중국과 홍콩에서 6천 명이 넘는 감염자가 나왔고 6백 명 넘게 사망했지만, 우리나라는 감염자가 4명에 불과했다. 세계보건기구에서 한국을 사스 예방 모범국으로 평가할 때만 해도 청정국가란 자부심이 있었다.

2009년 3월 멕시코 베라크루스주에서 발생한 '신종플루'는 유럽과 아시아로 빠르게 전파되었다. 세계에서 26만 명이 넘는 감염환자와 129개국에서 18,000여 명의 사망자도 나왔다. 우리나라는 2010년 8월까지 76만여 명이 감염되었고,

270명이 합병증으로 사망했다.

2012년 중동지역 사우디아라비아에서 최초로 발견된 중동 호흡기증후군인 '메르스'도 2015년 5월 30일까지 총 25개국에서 1,172명의 감염환자가 발생했고, 479명이 사망했다.

메르스가 우리나라라고 피해가지는 않았다. 2015년 5월 바레인과 카타르를 거쳐 인천공항에 도착한 무증상 환자가 발열, 기침, 호흡곤란 등 감기 증세를 치료하고자 병원에 가면서 전염환자가 발생, 긴장하기 시작했다.

첫 확진자가 입원한 병원에서 전염되기 시작, 186명이 발생하고 38명이 사망했으나 다행히 더는 확진자가 없어 68일만인 7월 28일에 종식 발표하면서 안도했다.

그런데 이번에는 다르다. 2019년 12월, 중국 우한에서 발병이 시작되었다고 하여 '우한폐렴'으로 불리던 '코로나19' 전염병이 날만 새면 확진자와 사망자가 늘어나 우려했다.

예상했던 대로 인접 국가인 우리나라에서 1번 확진자가 발생했다. 2020년 1월 20일, 우한에서 온 35세의 중국 여성이었다. 연이어 우한에서 입국한 내국인들이 확진자로 나오더니 급속도로 늘기 시작했다.

사스나 메르스처럼 잠시 전염되다가 사그라들 줄 알았는데 의외였다. 2월 중순부터 대구에서 뻥튀기하듯 확진자가 늘었다. 역학조사 결과, 신천지 대구교회에서 집단전염이 되었고, 그것도 모른 채 잠복기 무증상 신도들이 전국으로 이동하면서 접촉확진자가 곳곳에서 나왔다.

한동안 안심하고 활동해도 된다고 발표했던 대통령, 국무총리, 장관, 국회의원의 발언이 무색할 정도로 숫자가 늘어나 급기야 전염병 위험 수위를 심각 단계로 높여 방역에 최선을 다하고 있지만 역부족이다.

늘어나는 확진자들을 수용할 병상과 의료진, 의료부품이 부족하고 시민들에게 필요한 마스크가 천정부지로 오르고, 그마저 턱없이 부족해 마스크를 사려고 몇 시간씩 줄 서는 일이 벌어졌다.

연일 방송되고 있는 뉴스 특보 '코로나19' 전염 소식이 우울하게 만든다. 도미노처럼 연쇄적으로 무너지고 있는 이 사회가 불안하다. 폐쇄건물이 늘어나고, 병원, 기업, 금융권, 학교, 유치원, 행정기관, 법원, 항공사, 여행사 등이 불안전 상태이고, 전국적인 문화예술과 국제 행사들까지 취소되고 있다. 동맥경화에 걸린 것처럼 사회 곳곳이 마비되고, 그것도 모자라 누가 무증상 환자인지 몰라 서로 경계하다 보니 살기가 더 팍팍하고 답답하다.

날로 늘어나는 국내 확진자로 인해 국제적으로 고립되다시

피 했다. 한국행 여행은 물론 한국인 입국을 불허하는 나라가 대다수이고, 이미 도착한 한국 관광객들은 타국에서 감금에 가까운 격리로 상처받고 있다. 국제선 비행기들은 착륙하지도 못하고 그대로 회항하는 사태까지 벌어졌다.

전염병이 발생하기 전에는 세계 어디서든 대환영을 받았고, 우리나라 여권이면 입국심사에서 무사통과했는데 이젠 그 반대의 상황이 된 것이다. 나라의 위상이 하루아침에 이토록 추락할 수 있다는 게 믿기지 않는다. 자국민을 먼저 챙기는 그들의 처사가 이해되긴 하지만, 왜 이리 서글플까.

한국인을 병균처럼 여기던 유럽에서도 확진자와 사망자가 늘고, 아메리카, 중동지역, 아프리카, 인도까지 전염되고 있다. 어느 나라를 탓하기보다 지구촌 문제로 국제적 공조가 이뤄져야 한다. 하루빨리 백신이 개발되어 전염병으로부터 자유로워져 이전의 평화로운 삶으로 돌아가길 두 손 모아 기원한다. (2020.3.2.)

다이아몬드 프린세스 호

영화 「타이타닉」을 연상시키는 대형 크루즈 '다이아몬드 프린세스' 호가 2020년 2월 초, 일본 요코하마 항에 정박하면서 세간의 관심이 쏠렸다. 12톤급 크루즈 선에는 3,711명이 탑승했고, 2019년 12월 중국 우한에서 발생한 '코로나19' 확진자가 10명이 나온 상태였다.

일본은 탑승객들을 하선시키지 않고 정박한 상태로 격리했다. 하룻밤 자고 나면 확진자가 배로 늘어났다. 날이 갈수록 확진자 수가 증가했지만, 일본은 어떠한 움직임도 보이지 않았다. 감염자가 더 늘기 전에 어서 빨리 하선시켰으면 했는데, 뉴스를 볼 때마다 안타까웠다.

눈에 보듯 뻔한 결과가 나올 텐데 일본은 어떤 생각에서 머뭇거리는 걸까. 자국민에게 더 많이 전염시킬까 봐 염려했을까. 아니면 크루즈 안에서 발생한 확진자 수를 일본의 확진자 수에 보태고 싶지 않아서? 그것도 아니라면 도쿄올림픽 개최에 영향을 미칠까 봐 그러는 것일까. 그저 바라만 보고 있자니 답답할 뿐이었다.

예견했던 대로 시간이 흐르자 확진자는 더 늘었고, 3,700명이 넘는 다국적 탑승자들의 불편함과 구조를 요청하는 호소문이 날아들기 시작했다. 국제적 시선이 집중되었다. 10여 일이 지나자 10명이던 확진자가 285명이 되었고, 자국민들을 이송하기 위해 각 나라가 움직였다.

확진자가 454명인 시점에서 17일 미국이 전세기 2대로 300명의 미국인을 이송했고, 18일 우리나라도 7명을 공군기로 이송했다. 홍콩, 대만, 캐나다, 이탈리아, 호주, 이스라엘, 네덜란드, 영국과 유럽 연합국가, 러시아, 카자흐스탄 등 여러 나라에서 자국민을 구조하기 위해 발빠르게 움직였다. 27일 인도가 마지막으로 자국민 119명을 본국으로 이송시켰다. 크루즈 내의 확진자 705명인 시점이었다. 저마다 국력을 보여주는 듯했다.

다이아몬드 프린세스 호가 요코하마 항에 정박한 지 28일 만인 2월 28일에 선내 감염자 705명, 사망자 6명의 오명을 남기고 모두 하선했다는 소식이다.

한 달 동안 행복에 겨웠던 관광객들은 마지막 귀항지 요코하마에서의 악몽 같은 시간을 어떻게 기억할까. 먼 훗날 그것도 추억으로 회자될까.

다이아몬드 프린세스 호는 소독하고 재정비하여 4월부터 다시 투어 항해를 시작한다는 뉴스다. 대형 크루즈 호로 세계 여행을 꿈꿔 왔던 로맨틱한 로망이 저만치로 밀려났다. 그러함에도 화려했던 타이타닉 호의 아름다운 스토리와 비극적인 최후의 잔상이 사라지지 않는다. (2020.3.2.)

뿌리 깊은 편견

'코로나19' 발생 이후, 한국인과 동양인들이 공공장소에서 인종차별을 당하는 일이 자주 발생하고 있다는 뉴스다. '코로나19'는 그들에게 조롱거리의 빌미를 주었을 뿐 동양인에 대한 편견은 이미 뿌리 깊이 잠재하고 있지 않나 싶다.

유럽 여행할 때 일이다. 뮌헨에서 기차를 타고 오스트리아 잘츠부르크로 가는 길이었다. 마주 보는 4인 좌석에 아들과 둘이 앉고 두 개의 좌석이 비었는데도 유럽인들은 우리 곁에 앉지 않고 자리가 비좁고 복잡한 그네들과 합류하는 걸 보고 기분이 야릇했다.

'우리가 동양인이라서 불편했나. 하긴 같은 동족이 더 편안하겠지.' 이해하면서도 매사에 그런 식이라면 동양인이 유럽에서 뿌리내리고 살기란 녹록지 않을 거라는 생각이 들었다.

교환학생으로 이탈리아 시에나에서 공부한 아들에게 넌지시 물으니 수시로 느꼈단다. 특히 여학생의 경우는 더 얕잡아 보는 일이 허다하다는 얘기를 들으니 가슴이 아팠다.

대부분 유럽에서 공부한다면 겉만 보고 부러워하지만, 속내는 그런 아픔과 쓰라린 경험까지 인내하고 있다는 걸 간과해버리기 쉽다.

자존심이 강한 막내가 그런 환경에서 잘 지내다 무사히 귀국했음을 감사했다. 그리고 중국 칭화대에서 석사 학위를 취득했지만, 전공을 바꿔 다시 독일에서 석사 과정을 우수한 성적으로 마치고 취업한 조카가 대견스러웠다.

독일 거대그룹인 직장에 동양인이 많지 않아 금세 눈에 띄기 때문에 뒤처지지 않기 위해 남보다 더 열심히 일하고 있다는 조카의 얘기를 들으니 뿌듯했다. 그래서 외국에 가면 모두 애국자가 되는가 보다.

실화를 바탕으로 제작한 영화 「그린 북」은 60년대 미국에서 흑인 차별이 어느 정도인지를 생생하게 보여준다. 천재 피아니스트 돈 셜리 박사는 백악관에 초청되어 연주할 정도로 인기가 많지만, 흑인이라는 이유로 당하는 수모를 묵묵히 견뎌낸다.

박학다식하고 예의 바르며 품위가 있는 진실한 사람임에도 그를 무시하는 백인들의 오만불손한 행동이 눈에 거슬린다. 때리는 시어머니보다 말리는 시누이가 더 밉다는 속담처럼, 같은 흑인이 더 조롱하고 빈정거리며 잘난 박사를 인정하지 않으려 한다.

유독 흑인 차별이 심한 남부 백인의 우월의식은 동양인이나 소수민족에게도 적용되지 않았을까 싶으니 아메리카 드림을 꿈꾸며 이민 갔던 우리의 선조들과 세계 각국의 이민자들이 겪었을 상처가 그대로 전해오는 듯했다.

'그린 북'은 흑인이 출입할 수 있는 음식점과 숙박업소를 적어놓은 가이드북이다. 링컨은 4년이나 남북전쟁을 치르면서까지 흑인 노예를 해방시켰지만, 뿌리 깊은 편견은 쉽게 가시지 않았다.

그 편견들은 영화 「대부」를 탄생시키고, 차이나타운, 코리아타운 등을 형성하며 이민역사의 한 페이지를 장식했지만, 백인들의 뿌리 깊은 편견은 아직도 피부 깊숙이 스며있는 것 같다.

그러기에 국가적 재난이나 난관에 봉착하면 제일 먼저 약소국이나 소수민족, 동양인들에게 편견의 DNA를 분출하여 인격 모독과 인종차별 등으로 조롱하는 것 아닌가.

90년대 이민을 고민한 적이 있다. 그때도 애들 교육 환경이 아무리 좋다 한들 내 나라만 하겠는가 싶었고, 백인들의 보이지 않는 멸시와 편견은 감당하기 힘들 거란 생각이었다. 지금도 우리나라에서 자유롭고 당당하게 사는 게 백 번 낫다는 생각에 변함이 없고, 여전히 우리나라 예찬론을 고집하며 살고 있다.

4

갈퀴질

4

갈퀴질

한동안 잊고 살았던 농기구 '갈퀴'를 들었다. 예초기로 벌초하는 남편의 뒤를 따라다니며 정리하기 위해서.

봉분 10여 기를 벌초할 때마다 간식이나 챙겨 가면 되었고, 풀 향기를 맡으며 감상에 젖던 이전의 호사는 끝이 났다. 시어머니가 하시던 일이 자연스럽게 승계된 것이다.

항상 산소에 따라가겠다고 우기시던 어머니가 90 이후론 귀찮아하셨다. 벌초하는 아들 옆에서 호미를 들고 '네가 이기나 내가 이기나 보자'며 사정없이 잡풀을 뽑아 없애던 활력은 온데간데없다.

아들이 혼자 벌초하는 게 안쓰러운지 며느리에게 성화하신다. 따라가서 옆에 있어 주기라도 하란다. 옆에서 눈만 깜빡

거려도 힘이 된다며.

옳으신 말씀이다. 오지 말라던 남편도 싫지 않은 표정이다. 해마다 벌초하는 세 곳에 흩어져 있는 까마득한 조상의 봉분에 대해 고민이 생겼다. 이제 20대인 아들에게까지 물려주고 싶지 않은 일이 산소 관리와 벌초다.

윤달이 낀 올해 산소를 정리하자는 어머니 말씀에 대찬성했지만, 남편은 반대하며 본인이 알아서 하겠다고 큰소리쳤던 만큼 벌초하는데 정성을 다한다.

예초기 소리가 메아리친다. 오랜 가뭄으로 조금만 움직여도 먼지가 폴폴 날린다. 아름드리 적송 덕분에 그늘에 앉아서 산바람 맞으며 간식까지 먹고 곧바로 쇠갈퀴를 들었다. 할머니와 살면서 갈퀴질했던 유년 시절이 주마등처럼 스쳐 지나간다.

농경사회였던 60년대는 대가족이 모두 일터로 나가거나 품앗이로 자급자족하며 곤궁한 삶을 살았다. 품앗이 일꾼들이 넓은 마당에 동그랗게 둘러서서 홀태로 나락이나 보리를 훑어내면 낟알 위로 쌓인 검불을 대나무 갈퀴로 긁어냈다. 일손이 부족했던 그 시절은 초등학교 고학년만 되면 갈퀴질을 거뜬히 해냈다.

새끼를 꼬기 위해서도 갈퀴질이 필요했다. 묶은 볏짚에 물을 뿌린 다음 머리 부분만 돌려가며 갈퀴질해서 검불 한 겹을 걷어내면 볏짚의 속살이 드러났다. 매끈해진 볏짚으로 밤새 새끼를 꼬아 유용하게 사용했던 시절이 있었다.

그때 그 시절을 추억하며 열심히 갈퀴질했다. 일 욕심은 시어머니를 닮아 일이 끝날 때까지 쉬지 않고 했다. 깎아낸 풀을 갈퀴로 긁어모아 변두리로 옮기는 일까지 하느라 시간 가는 줄도 몰랐다. 남편의 예초기 소리가 해거름 녘의 정적을 가르고, 양파밭에서 일하던 인부들도 철수한 지 오래다.

땀범벅이 되면서도 남편의 뒤를 따라다니며 갈퀴질한 보람이 눈앞에 펼쳐졌다. 쑥대밭처럼 정신 사납던 산소가 말끔해져 보기만 해도 시원하다. 노동의 대가가 바로 나타나니 흐뭇하고, 혼자 했으면 다섯 시간이나 걸릴 일을 옆에서 갈퀴질해 준 덕분에 세 시간 만에 끝났다며 남편이 고마워하니 일한 보람이 더 컸다.

우리 부부는 벌초를 다 마쳐야 편한 마음으로 상경한다는 걸 알기에 저녁 8시 반까지 움직였다. 해가 길어 가능했다. 먼지와 땀으로 범벅이 되어 서둘러 왔더니 대문 앞에서 애타게 기다리던 어머니가 왜 그렇게 늦었냐며 무슨 일이 생긴 줄 알고 놀랐다며 나무라신다.

동네 입구의 가로등이 훤하다. 들어가서 씻는데 비눗물이

짭짤하다. 늦은 저녁을 준비하여 세 식구가 달게 먹었다. 시골에선 밤 10시면 한밤중이다. 그렇게 긴 하루를 보내고 고단한 몸과 마음을 짧은 여름밤에 맡기고 누웠다. 모내기가 끝난 들판에서 울어대는 개구리 소리가 자장가처럼 들린다.

소꿉친구

약속날짜가 다가올수록 가슴이 더 설렌다.

50여 년에 만에 만나는데 알아볼 수 있을까. 얼마나 변했을까. 정서가 전혀 다른 사람으로 변했으면 어떡하지? 언제 헤어졌더라. 타임머신을 돌려 그때 그 시절로 돌아가 보지만 기억이 가물거린다. 여중학교에 입학하기 위해 부모님이 계신 읍내로 떠났던 것만 또렷하다.

기억의 조각들은 유년 시절로 데려다 놓는다.

일가친척이 모여 살던 집성촌인 관계로 대부분 촌수가 할머니, 할아버지, 고모, 삼촌들이었고, 언니, 오빠들도 많았다. 우린 촌수는 따지지 않고 눈만 뜨면 이집 저집 다니며 소꿉놀이를 했고, 농번기만 아니면 수시로 점방 앞에 모여 놀았다. 설날과 대보름은 맘 놓고 놀 수 있는 날이어서 마을 뒤편에 있는 바닷가 갯벌에 가서 신나게 뛰놀던 시절이 주마등처럼 스쳐 지나간다.

친정 집안 종가로 시집온 여고 동창한테 소식을 들었다. 동창과 올케, 시누이 사이인 소꿉친구는 센스 있게 카카오톡 프로필에 사진을 올려놓았다. 내 프로필 사진도 보았을 것이다. 그러기에 알아볼 수 있을까 하는 물음에 염려하지 말라고 했을 테고. 유난히 더위가 기승을 부리던 폭염에 기동력이 좋은 친구가 집 앞까지 왔다. 차 안으로 들어가 얼싸안았다. 그리고 한참을 바라보았다. 숨어있던 옛 모습이 드러났다. 50여 년의 세월은 오간 데 없고 금세 친근함을 느낀 것은 피붙이기 때문이리라.

우리는 차에서 내려 이산가족 찾기 장면처럼 다시 한 번 꼭 껴안았다. 우리의 모습을 본 사람이 염천의 날씨에 무슨 일이냐는 듯 의아해한다. 우린 약속이라도 한 듯이 똑같이 말했다. 소꿉친구를 수십 년 만에 만난 것이라고.

서로 살기 바빠서 만나지 못한 세월이 길었다. 무슨 말을 어디서부터 시작할까 염려했지만, 누가 먼저랄 것도 없이 긴 세월의 간극을 좁히느라 앞에 놓인 맛깔스러운 음식은 뒷전이었다.

종가의 맏며느리로 살다 보니 친정의 종부였던 소꿉친구의 어머니인 당숙모가 생각나곤 했다. 대가의 종부 노릇 하느라고 얼마나 수고가 많으셨을까. 안타깝게도 화재로 종가는 전소되고 당숙모까지 화를 당하셨다는 충격적인 소식은 이미 들어 알고 있는 터였다.

종가인 큰할아버지 댁은 그렇게 없어져 밭이 되었고, 내 영혼의 본향인 고향 집도 할아버지가 돌아가신 뒤, 빈집으로 있다가 밭이 된 지 오래다.

대가를 이뤘던 집성촌이 무너진 것은 계화도 간척공사가 시작되면서다. 타향사람들이 고향마을로 들어오기 시작하고, 농업사회가 산업사회로 발전하면서 고향에 살던 고모, 삼촌, 언니, 오빠들이 푸른 꿈을 안고 도심으로, 서울로 떠났다. 그렇게 뿔뿔이 흩어져 열심히 살아내느라고 오랜 세월이 흘렀던 것이다.

친구를 만나고 보니 언니였지만 소꿉친구로 지내자는 제안에 호칭의 불편한 맘이 사라졌다. 우리는 유년의 뜰로 돌아가 그 시절을 유영했다. 친구는 고향에 가서 동네 한 바퀴 돌아봤단다. 얼마나 변했냐고 물었더니 동네 골목은 그대로였다는 말이 고향을 더 그립게 했다. 우린 함께 놀던 친구들 소식이 궁금하다며 이름을 하나씩 불러보았다. 월례, 점순, 공주,

혜숙….

모두 고모, 언니 뻘이 되는 소꿉친구들, 지금은 어디에 살고 있을까. 간혹 고향 소식을 들려주던 아버지가 안 계시니 이젠 풍문조차 듣지 못하고 있다.

우리들의 할아버지가 형제인 관계로 큰집, 작은 집으로 살아서 대화의 공통소재가 많았다. 우리가 알고 있는 집안 어른들 모두 문중 선산에 계신다는 얘기며 우리 또래들의 일가친척들이 어떻게 성장했는지 근황도 들었다. 판검사, 교수, 경찰, 공무원, 회사원 등 저마다 주어진 달란트대로 잘살고 있다는 소식이 반갑고, 무너진 가문을 다시 끌어올린 그네들이 자랑스럽다.

소꿉친구를 만나고 나니 시간이 거꾸로 가는 것 같다. 우리는 손을 맞잡고 잘살아줘서 고맙다며 서로 격려했다. 그리고 다시 만날 것을 약속했다.

그때 그 시절의 고향 언어

오랫동안 잊고 살았던 고향의 언어가 불현듯 튀어나오고, 시골 어른들과 동창들에게서 어렸을 때 사용했던 말들을 듣다 보면 아득한 유년 시절이 주마등처럼 떠오른다.

탱자나무 울타리 너머의 당숙 댁 마당은 아이들의 놀이터였다. 집성촌으로 모두 일가였지만 촌수를 따지지 않고 소꿉친구로 이름 부르며 해지는 줄 모르고 놀았다. 신나게 놀다 보면 배가 출출했다.

가마솥에서 막 훑은 노릿한 깜밥을 가지고 오거나 주머니에 오리쌀을 한가득 가져와서 손바닥에 조금씩 나눠주면 꿀보다 맛있었다. 생무시나 생고구마도 든든한 간식이 되었다. 텃밭에서 당근을 뽑아 옷에 쓱쓱 문질러 먹거나, 덜 자란 가지와 오이를 따서 먹어도 나무라는 사람은 없었다.

팔강놀이에 빠져 한창 재미가 무르익는데 큰고모가 탱자나무 울타리에 대고 불렀다. 싫지만 내색도 못 했다. 부모와 떨어져 할머니 슬하에서 자라던 시절이라 눈치껏 움직여야 했다.

정지에 들어가 나무 부지땅으로 서툴게 불을 지피면, 할머니와 고모는 낭화를 가마솥에 한가득 쑤어 앞집, 옆집, 뒷집 친척들에게 한 양푼씩 돌렸다. 그 심부름 또한 아이인 내 몫이었다.

농번기 때는 놉들이 점방 앞에 모였다가 좁은 논두렁길로 줄지어 논배미로 향하고, 넓은 마당에서는 보리타작하느라고 점드락 분주했다. 암탉이 모퉁아리 짚베늘에 알을 낳았다고 꼬꼬댁거리며 의기양양하게 걸어 나와 뒤암자리로 갔다. 두 발로 자발스럽게 헤쳐 고자리와 찌끄레기를 주워 먹었다.

주변 친척들의 생명수였던 울 안의 시암은 빨래하고 찬거리를 씻는데 일조하느라고 두룸박이 오르내리며 시소게임을 했다. 시암 옆에 있는 도곡통과 학독도 아짐과 당숙모들이 번갈아 가며 보리쌀을 찧고 갈아대느라 쉴 날이 없었다.

부모와 떨어져 살던 유년 시절, 가장 행복했던 일이 있다면 낚시하는 거였다. 학교에서 일찍 돌아와 호멩이로 깨고랑창에서 끄시랑을 잡았다. 소금에 절인 끄시랑 미끼를 들고 둠병으로 갔다.

간짓대로 만든 낚싯대를 멀리 던져놓고 석양 노을을 바라보면 마음이 고요해졌다. 드넓은 방죽에 드리워진 갈대와 산 그림자가 읍내에 계신 부모님을 그립게 했지만, 낚시로 달랬다.

물결 위에 파문이 일면 손맛이 느껴진다. 툭툭 감지되는 순간 낚싯대를 들어 올리면 틀림이 없다. 그렇게 걸려 나온 붕어 새끼는 땅바닥에 닿자마자 강그라졌다. 후딱 작은 고무 대야의 물속에 넣었다. 물고기는 언제 그랬냐는 듯 움직이기 시작했다. 그렇게 잡은 작은 물고기들은 닭 모이나 흑돼지의 먹이가 되었다.

행복했던 유년 시절의 단상을 떠올리자니 침잠했던 고향 언어가 누에고치에서 실 나오듯 한다. 그리움이 몰려온다. 옛 사람들이 그리워진다.

그때 그 시절이 성큼 다가온다.

흑백사진

잠이 오지 않는 밤,
여러 권의 사진첩에 추억의 낚싯대를 드리운다.
흑백사진들은 타임머신을 그때 그 시절로 돌려놓고,
까마득한 옛 추억들을 줄줄이 낚아 올린다.

고향 집 아래채 곳간 앞에서 또래의 고모, 삼촌들과
수줍게 사진 찍던 날이 영사기처럼 돌아간다.

아장아장 걸음마를 시작한 맨발의 남동생과
바로 아래의 여동생, 동갑내기 막내 삼촌,
통치마 한복을 입은 두 고모

여섯 명이 동네 친인척들의 주목을 받을 때
사진사는 검은 보자기 속에 얼굴을 밀어 넣으며
움직이지 말라고 엄포를 놓았다.

마당과 토방에 가득 섰던 구경꾼들은
사진사의 움직임을 신기하게 바라보았고,
하나, 둘, 셋! 에 맞춰 터진 펑 소리와 함께
마당으로 퍼져나가는 연기에 놀라 움찔하는
어린 우리를 보고 모두 왁자한 웃음을 날렸다.

대여섯 살 때,
검정 고무신에 여동생과 똑같은 원피스 입고
처음 찍은 사진을 시작으로 군산 월명공원과
장항제련소로 수학여행 갔던 초등 시절,
단골 소풍지였던 석동산과 매창의 묘소 참배,
내변산 여행, 제주도 수학여행, 교련 실습하던 교실,
규율부 활동, 흰 앞치마와 두건을 착용하고 청소하던
여학생 시절과 여고 졸업식 사진까지 흑백사진의 역사는
그렇게 막을 내렸다.
흑백사진 속의 주인공들은 사진 한 장의 자취만 남긴 채 떠나고, 남은 자들은 그들을 추억하며 바통 이을 대열의 언저리에 섰다.

혈육들이 그리워진다.
목울대가 뻐근해 온다.
그만 추억의 낚싯대를 거둬들인다.

기다림

인생은 기다림의 연속이다.
무언가를, 누군가를 기다리며
많은 시간을 보낸다.
기다림 속에는 희망이 있고
그리움과 간절함이 있다.

할머니 슬하에서 살았던 유년 시절
감싸주시던 할머니가 안 보이면 불안했다.
우리 삼 남매의 안식처가 돼주신 할머니는
대소사를 관장하느라고 늘 바쁘셨다.
그만큼 우리들의 기다림은 길어졌다.

시간 버스가 앞산 모롱이로 나올 때마다
점방 앞으로 달려 나갔다.
기다리던 엄마, 아빠는 오시지 않았고
우리는 부모님과 함께 살 날만 손꼽아 기다렸다.

정작 부모님과 함께 살게 되었을 때는
열악한 환경에서 벗어나고 싶었다.
여고 졸업 후, 동경하던 서울 곳곳에
이력서를 내놓고 희망에 부풀어 날마다
좋은 소식이 오길 기다렸다.

봄이 오면 반가운 소식이 올 것 같아
날만 새면 점방 앞에서 우체부를 기다렸고,
밤이면 장밋빛 청사진을 그리느라고
창호지 문이 밝아올 때까지 뒤척였다.
여삼추 같은 기다림은 좀처럼 줄어들지 않고
대신 인내심이 두께를 더해갔다.

드디어 오랜 기다림 끝에 받게 된 한 통의 편지는
꿈의 실현이었고 인생의 전환점이 되었다.

부푼 마음으로 상경하여 단칸방에서 시작한
서울살이는 고단함 그 자체였다.
그래도 우리 삼 남매는 행복했다.
청운의 꿈이 있었기에.

작은 꿈을 이루며 살아온 인생이건만
지금도 기다린다.
그 뭔가를…,

친정어머니와 함께한 하룻밤

아버지 작고 이후, 홀로 쓸쓸히 살아가는 어머니가 항상 마음에 걸린다. 찾아오는 친인척도 없고 자식들마저 찾는 횟수가 점점 줄고 있으니 어머니의 의지처라고는 평생을 두고 헌신해오던 종교뿐이다.

맏딸로서가 아니라 같은 여자의 입장에서 이해하려고 노력 중이나 오랜 세월을 기찻길처럼 평행선으로 살아왔기에 합일점을 찾는 일도 쉽지 않다. 그래도 의지할 피붙이는 맏딸이라고 일만 생기면 연락하신다.

매달 시댁 가고 오는 길에 들러 얼굴만 잠깐 볼 뿐, 언제 차분히 앉아 속내를 털어놓을 시간이 없었다. 하룻밤이라도 자면서 도란도란 얘기하며 모녀지정을 나누고자 홀로 집을 나섰다.

여행하는 기분으로 고속버스를 탔다. 만감이 교차한다. 시선은 창밖의 가을풍경에 두고 있지만, 머릿속은 여러 생각이 종횡무진하고 있다. 이런저런 생각들과 씨름하는 동안 3시간 만에 목적지인 고향 땅에 도착했다.

읍내 터미널로 마중 나온 친정어머니와 만났다. 만난 지 보름밖에 안 되는데 단둘이 만나니 또 다른 기분이다. 어머니의 승용차를 타고 가면서 먼저 필요한 물건을 사기 위해 마트에 들어가 이것저것 챙겼다.

다음은 약속대로 한증막에 가서 오래오래 쉬는데 땀을 빼고 나온 어머니가 한쪽 구석으로 가더니 쉼 없이 움직인다. 가져온 빨래를 하고 계신다. 상하수도 시설이 열악했던 70년대의 목욕탕 풍경이 스쳐 지나간다. 물을 데워 쓰던 그 시절엔 몰래 가져간 빨래를 하다가 목욕탕 주인에게 들켜 망신당하는 일이 비일비재 했었다.

어머니처럼 옷 몇 개 넣고 세탁기 돌리기가 아깝다며 가져온 빨래를 수그리고 앉아 열심히 빨고 있는 분들이 눈에 띈다. 그래도 누가 뭐라는 사람은 없다. 눈치 보지 않고 냉온수를 자유롭게 마음껏 쓰는 시대다.

늦가을의 짧은 해가 금세 기울어 저녁이 되었다. 둘만의 오붓한 시간을 벌기 위해 밖에서 저녁 식사하고 들어와 평소 보일러 기름 아낀다고 틀지 않은 난방을 적정온도에 맞춰 놓았다.

정원 구석에 생강을 심었더니 제법 밑이 잘 들었다며 썰어서 설탕에 재워주겠다고 껍질을 긁어내고 있는 어머니의 꼬부라진 뒷모습이 처량하게 보인다. 기골이 장대하고 머리 회전이 빨라 항상 아버지를 앞서가던 어머니, 평생 늙지 않을 줄 알았는데 등이 많이 굽었다. 그 곱던 얼굴도 주름투성이다. 하기야 지나온 세월이 얼마인데 어머니만 비껴가겠는가.

구입한 지 얼마 되지 않은 냉장고가 고장 났다 해서 열었더니 북극의 이글루가 연상될 정도로 꽁꽁 얼어 있다. 냉동실의 식재료들이 금방이라도 쏟아져 나올 것 같다. 다달이 청소해 드리는 시어머니의 냉장고도 문이 안 닫힐 정도로 음식이 가득하더니 시어머니보다 10년이나 젊은 친정어머니의 냉장고도 똑같다.

먼저 전기 플러그를 뽑은 뒤 냉동고 문을 활짝 열어 놓고 욕실로 들어갔더니 손볼 게 하나둘이 아니다. 욕조며 세탁기, 비데에도 볼 수 없을 정도로 때가 끼었다. 친정어머니의 만류도 아랑곳하지 않고 대청소에 들어갔다.

젊은 시절의 어머니는 깔끔한 살림살이와 멋쟁이로 소문날 정도였는데 왜 이렇게 변했을까. 모전여전이라고 어머니를 닮아 내 몸이 고단한 줄도 모르고 정리 정돈하며 살고 있는데, 어머니처럼 변할까 두렵다.

일은 끝도 없이 이어져 하룻밤 자고는 다 해결하지 못할 것 같아 주방과 욕실만 청소하고 고단한 몸을 뜨끈한 의료침대에 의지했다. 모녀가 생전 처음 나란히 누웠다. 어머니와 나란히 누워본 게 언제였던가. 아니, 그런 적이나 있었던가.

돌아가신 아버지 얘기를 꺼내면 속이 상할 것 같아 피했다. 우리 4남매가 살아가는 얘기, 어머니의 친정 피붙이 얘기, 교인들의 얘기를 주고받으며 모처럼 도란도란 얘기 속으로 빠져들었다. 어느 사이에 어머니의 코 고는 소리가 깊어가는 가을밤을 가르고 있다.

추억을 선물하다

시대가 급변하다 보니 따라가기조차 버겁다. 그래도 세 아이 덕분에 디지로그(digilog) 세대로 시늉은 하며 살고 있으니 감사할 따름이다.

스마트폰이나 컴퓨터 사용은 아쉬운 대로 사용하지만, 아직도 모르는 게 더 많다. 바쁜 아이들에게 일일이 물어보는 게 미안해 인터넷으로 검색해서 문제를 해결하기도 한다.

인터넷은 그 어떤 것도 즉시 해결해주는 만물박사다. 꽃 이름이 궁금하면 사진을 찍어 올려 금세 답을 찾고, 가슴 울리는 음악의 곡명이 알고 싶을 땐 음악 검색창에 음악을 들려주면 바로 정보가 나온다.

이젠 컴퓨터 켜는 것도 번거로워 스마트폰에 필요한 앱을 설치하여 언제 어디서든 손쉽게 이용한다. 인터넷 뱅킹을 하고, 신뢰하는 사이트에서 쇼핑도 하고, 국내외여행까지 가만히 앉아서 일정과 숙박, 교통, 항공편 등을 해결하며 디지털 시대의 편리성에 감탄한다.

어느 날, 디지로그 세대임을 자부하며 작정하고 앉아서 아무도 들여다보지 않는 가족 앨범 25권을 꺼내놓고 작업에 들어갔다. 먼저 맏이인 딸아이의 앨범 몇 권을 펼쳤다. 87년 출생신고서부터 시작해 자라는 과정을 보며 30년 전으로 돌아가 추억에 젖었다.

늦게 결혼하여 낳은 딸은 사랑을 듬뿍 받고 자랐다. 앨범 사진 밑에 써 놓은 메모가 말해준다. 아주 작게 낳은 아이가 커가는 모습은 입가에 미소 짓게 만든다. 누워만 있던 아기가 엎어지려고 안간힘을 쓰고, 먹을 걸 움켜잡고 입에 넣으려고 애쓰는 모습에서 인간의 본능을 본다.

아장아장 걷기 시작하고, 말을 배우고 세 살배기가 갓 태어난 동생에게 우유병을 물려주는 모습, 유치원, 초등학교, 중학교, 고등학교, 대학생의 모습까지 살피며 좋은 사진을 골라 스마트폰으로 찍어 저장했다. 그렇게 골라 찍은 사진 100여 장을 'ㅇㅇㅇ는 이렇게 자랐다'는 제목과 함께 스마트폰의 '가족밴드'에 올렸다.

둘째도 같은 방식으로 앨범에서 잘 나온 사진만 골라 찍어 가족밴드에 올렸다. 둘째는 문화 혜택을 더 많이 받은 탓에 사진도 훨씬 더 많았다. 100여 장씩 'ㅇㅇㅇ 발자취는 풍성해서 1, 2부로'라는 제목을 붙였다.

셋째 역시 같은 방식으로 앨범 속의 사진을 찍었다. 누나와 9년 터울인 막내는 윤택한 환경에서 가장 많이 누리고 자랐는데 사진은 많지 않다. 홈비디오로 촬영하여 저장했기 때문이다. 대신 막내 사진에는 항상 누나와 형이 함께해서 재미있는 사진이 많았다. 제목은 'ㅇㅇ는 앨범을 통째로 옮겼음. 좋은 시대에 태어나서 비디오로 찍었기 때문에 사진은 많지 않음'이다.

세 아이는 '가족밴드'에 올라온 사진을 보고 무척 신기해했다. 아기 때부터 변하는 자신들의 모습을 한눈에 볼 수 있다고 기뻐하며 추억 속에서 유영했다. 행복해하는 아이들을 보니 스쳐 지나가는 게 있었다. 세 아이가 태어난 것은 부모가 있기 때문이 아닌가.

그래서 우리 부부 앨범을 뒤적였다. 맞선보고 두 번째 만나 청혼하고 세 번째 양가 어른께 인사하고 약혼과 결혼까지 한 달 반, 번갯불에 콩 볶던 시절의 추억을 더듬었다.

성격도 모른 채 나이 먹었다는 이유로 결혼하여 부대낀 세월을 되짚으니 그것도 추억이라고 감회가 새로웠다. 친정집에서 했던 약혼식과 비 오는 날 영등포의 예식장에서 했던 결혼식이 주마등처럼 스쳐 갔다.

17평 아파트에서 시동생, 시누이와 살며 첫애와 둘째를 낳고, 아파트 평수를 늘려가며 늦둥이 낳아 행복했던 날들을 추억하며 앨범 속의 사진을 스마트폰으로 찍었다. 30년의 세월을 하루 저녁에 모두 담아 제목을 붙였다.

1부. 엄마, 아빠는 이렇게 살아왔단다.

2부. 갈수록 식구가 늘고 가정에 활력이 넘치기 시작했지.

3부. 변화가 거듭되며 가정의 역사는 두께를 더해가고….

4부. 맞선보고 달포 만에 결혼하여 살면서 온갖 풍상을 겪었지만, 그래도 행복했노라!

수백 장의 사진에서 선별한 사진을 400장 넘게 '가족밴드'에 올렸더니 남편이 댓글을 달았다.

"멋있는 한 편의 인생 서사시입니다. 볼수록 보고 싶은…. 이화우 님, 고생 많았습니다.^♡^ "

이틀 동안 쪼그리고 앉아서 가족에게 소중한 추억을 선물하고 났더니 목이 뻐근하고 다리에 쥐가 나며 허리까지 아팠다. 힘은 들었지만 쉽지 않은 일을 했다는 뿌듯함이 전신을 훑고 내려갔다.

5

어머니의 노래

5

어머니의 노래

세월을 먹으며 붕어빵처럼 닮고 있다는 것은 어머니와 가까워지고 있다는 신호다. 문득문득 거울을 보고 놀란다. 거울 속에 어머니가 보이기 때문이다. 누구나 그렇겠지만 결코 닮지 않으리라 다짐했는데, 의지와 관계없이 닮아가고 있다. 어쩜 그게 자연의 섭리인지도 모르겠다.

어머니의 길을 따라가노라니 전에 이해되지 않던 일들이 비로소 이해되고 수긍이 간다. '어머니의 길'이란 자식을 낳고 키워봐야 알게 된다. 자라면서 무수히 들었던 말 중에는 '너도 자식 낳아 키워봐라, 내 나이가 돼봐라'였다.

과연 그런 말들은 변하지 않는 진리다. 자식을 키우다 보니 부모의 마음을 알게 되고, 그때는 왜 그랬을까? 의문 했던 일들이 자연스럽게 풀린다. 어머니를 이해하고 났더니 평행선이던 모녀 관계가 훨씬 가까워졌고, 아버지가 안 계시니 아버지를 대신하여 맏딸의 할 일이 많아졌다.

2년 전 백내장 수술을 해드렸는데 자꾸 시력이 떨어져 한쪽 눈은 아예 보이지 않는다고 하소연하기에 상경하시도록 했다. 고속터미널에서 만나 안과로 직행하여 검사했더니 큰 병원으로 가야 한다고 해서 인근의 대학병원에 갔다.

살면서 가장 멀리해야 될 곳은 병원이다. 멀쩡한 사람도 병원에 가면 환자가 된 듯 힘이 빠지고, 몸 어딘가 고장 난 것처럼 느껴진다. 병원마다 인산인해다. 대학병원은 더하다. 웬 환자가 그리 많은지 기다리다 지친다. 개인병원처럼 바로바로 진료받는 게 아니라, 하염없이 기다리다 호명하면 들어간다.

대기하고 있는 환자와 보호자들을 보면 대부분 꼭 닮은 붕어빵들이다. 딸이 부모를 모시고 병원에 온 사람이 많다는 얘기다. 그래서 요즘은 딸자식을 더 선호하여 아들만 있는 부모를 '장애인'이라 한다는 우스갯소리까지 있다.

붕어빵들끼리 마주 보고 웃는다. 동병상련을 느끼기 때문이다. 말 붙이기도 자연스럽다. 병명도 많고 사연도 갖가지다. 어머니들은 보호자로 따라나선 딸들을 자랑스러워하며 어깨에 힘이 들어가 있다. 다정한 딸이 노모에게 살갑게 대하며 소곤소곤하는 모습은 아름다운 그림이다. 마음이 훈훈해진다.

3일 동안 병원에 출퇴근한 보람으로 확실한 병명과 치료법을 찾아 어머니의 근심이 줄었다. 앞으로 매달 한 번씩 치료하자는 전문의 말대로 다음 달 진료 날짜를 예약했다.

병원 갈 때마다 약봉지를 한 보따리씩 들고 왔던 어머니는 약도 주사도 없다는 말에 몹시 섭섭한 눈치다. 말이 곱게 나오지 않는다. 처방전이 없다는 것은 오히려 좋은 거고, 우리나라 건강보험공단이 적자인 이유가 조금만 아파도 이 병원 저 병원 순회하는 분들이 많기 때문이라며 볼멘소리를 했다.

그래도 어머니는 매달 핑계 삼아 딸네 집에 오는 것도, 또 함께 내려가는 것도 좋으신 모양이다. 행복한 표정이다. 매달 시골 내려가는 날짜에 맞춰 올라오시기로 했다. 바쁜 우리로서는 일석이조요, 일거양득인 셈이다.

시골에 내려가는 길, 휴게소에 들러 간식을 사서 맛있게 먹고 출발했다. 뒷좌석에 앉은 어머니가 아주 맛있게 먹었으니 운전하는 사위에게 보답하고 싶다는 뜻밖의 제안에 놀랍기도 하고 무슨 보답일까 궁금하여 기다렸다.

친정어머니가 교회의 노인대학에서 배운 추가열의 「소풍 같은 인생」을 열심히 부르기 시작했다. 가사가 좋아서 딸과 사위에게 꼭 들려주고 싶었다며 달리는 차 안에서 또 한 번 열창했다.

어머니의 노래에 박수로 장단 맞추며 흥을 돋웠다. 장모와 16년 터울인 남편은 명가수가 나왔다며 한술 더 떴다. 수십 년 만에 들어본 어머니의 노래였다.

어머니의 노래는 딸 부부에게 전하는 메시지다. 오랜만에 딸네 집에 머물며 당신을 닮아 집안이 깨끗하다고 무척 흐뭇해하더니 틈만 나면 당부하셨다.

"매사에 감사하라, 긍정적으로 생각해라, 만족하며 살아라, 행복해라, 복 많이 받아라!"

자식이 행복하게 잘 살길 염원하는 어머니의 노래가 오래도록 귓가에 맴돈다.

부자지간의 대화

부모와 자녀 간의 소통이 원활하지 못한 현실에 직면해 있다. 급변하는 사회이다 보니 아날로그 세대인 부모와 디지털 세대인 자녀의 사이가 더 많이 벌어져 평행선에서 좁히기란 쉽지 않다.

아직은 컴퓨터에서 작업하는 자칭 디지로그 부모이긴 해도 자녀들을 따라가기가 버겁다. 가능하면 혼자서 해결하려고 검색하며 공부하지만, 어느 땐 설명 자체가 이해되지 않을 때가 종종 있다. 낀 세대인 우리가 그러할 때 우리의 부모는 오죽할까 싶으니 동병상련을 느낀다.

요즘 젊은 세대들은 바쁘다. 직장 생활하랴, 친구들 만나랴, 운동하랴, 한집에 살아도 얼굴 보기도 힘들다. 아이들 어렸을 때 온 가족이 모여 오순도순 살 때가 그리울 지경이다.

큰아이가 독립해 나가고, 막내는 교환학생으로 유럽에 가 있어 둘째와 살기 시작했다. ROTC 장교로 전역하자마자 희망에 부풀어 직장 생활하던 큰아들이 2년 만에 회의를 느낀다며 그만두었다.

빠르게 변하는 시대, 기성세대와 다른 환경에서 자란 세대가 입사했는데도 구태의연한 사고로 닦달하는데 견뎌낼 신입사원이 얼마나 되겠냐고. 입사 동기들이 하나, 둘씩 그만둘 때마다 불안했고, 장래를 생각하지 않을 수 없다더니 입사 동기 중 마지막으로 사표를 냈다.

도서관에 다니던 아들은 대학 시절 ROTC 훈련받느라고 제대로 놀아본 적이 없음을 무척 아쉬워했다. 공부보다 운동을 좋아하는 아들에게 공부하는 일은 고행에 가까울 것이라는 생각이 들었다. 막내처럼 저 좋아하는 일을 해야 하는데….

남편을 설득했다. 어차피 사무실에 직원이 필요한 입장이니 믿을 수 있는 가족이 좋지 않겠느냐고 했더니 펄쩍 뛰었다. 젊은 놈을 좁은 곳에 두고 싶지 않단다. 좀 더 넓은 세상에서 경험도 쌓고, 공부해야 한다는 남편의 고집을 꺾을 수가 없었다.

주변 지인들이 운영하는 사무실에서 사고가 빈번하다는 얘기를 수없이 들어왔다. 수십 년씩 근무한 직원이, 또는 가장 믿었던 직원이 뒤통수치고 사업주를 곤경에 빠트리는 걸 종종 봐온 것이다.

윈윈 작전이 성공했다. 문학 활동하며 32년이나 살던 안양을 떠나 남편 사무실 가까이로 이사한 것이다. 법대 나온 아들은 아빠 사무실에서 수습부터 시작했다. 성격이 강하고 까다로운 아빠와 잘 지낼 것인지의 우려는 기우에 불과했다. 서로 만족했다.

아버지와 아들이 법무 업무에 관해 허심탄회하게 주고받는 대화가 보기에 좋다. 아버지는 말귀 알아듣고 민첩하게 행동하며 기동력 있는 아들이 듬직하고, 아들은 아버지의 성격을 알아 맞춰가면서 무시로 일을 배우니 서로 믿음이 생긴 것이다. 시간이 지나면서 부자간의 대화가 길어지고 더 돈독해졌다.

남편은 아들이 어렸을 때부터 데리고 다니며 함께 축구를 하고, 배드민턴, 족구, 볼링 등을 했기 때문에 평소에도 사이가 원만했지만, 한 사무실에 근무하면서 더 좋아진 것이다.

그토록 반대했던 남편은 아들이 옆에 있어 든든한지 마음 놓고 출장도 가고 멀리 운동도 나간다. 각자 다른 길을 갔으면 함께하는 시간도 많지 않았을 텐데 다행이다.

장소에 구애받지 않고 식사할 때나 신문이나 텔레비전을 보면서도 끝없이 이어지는 부자지간의 대화로 집안이 더 훈훈해졌다.

트라우마

참 긴 세월이 흘렀는데도 증세가 나타난다. 마음이 불안할 때는 특히 더….

결혼 초에는 오해를 많이 받았다. 작은 평수의 아파트에서 시동생, 시누이와 함께 살 땐 남편이 난감해했다. 밤새 악몽에 시달리느라 괴로운데 남편은 괴성에 가까운 잠꼬대 때문에 오해 받기 십상이라며 짜증을 내기도 했다.

차츰 횟수가 줄어들기는 했지만, 도둑이 방문을 열고 들어오거나 괴한이 덮치려고 옆에 서 있거나 시커먼 물체가 목을 조르는 꿈이 소리 지르게 한다. 누군가에게 도와달라고 몸부림치지만, 말로 나오지 않고 괴성이나 신음소리로 나온다. 지금까지도 가끔 그런 악몽에 시달린다.

결혼하기 전, 혼자 자취하는 방에 좀도둑이 들곤 했다. 그 때마다 사람이 다치지 않은 것을 감사했으나 생일선물로 받았던 귀한 카세트나 믹서, 커피포트는 필요할 때마다 생각나게 했다.

이사하는 곳마다 퇴근 후에 와보면 방을 뒤져 어지럽게 흩트려놓은 경우가 종종 있었다. 그런 일을 겪고 난 후부터 악몽에 시달렸다. 혼자 자는 방에 괴한이 들어오려고 문을 따거나 목을 죄거나 자고 있는데 덮치려고 옆에 서서 노려보는 꿈 때문에 밤이 두렵고 무섭기까지 했다.

종국에는 막내 고모네 집 방 한 칸을 세 얻어 들어갔다. 거실을 거쳐 들어가는 방이어서 안심하고 지냈으나 그 집에도 도둑이 들어 고모네 집은 물론 내 방까지 뒤져 값비싼 카메라를 훔쳐 갔다. 직장에서 동호회 활동하기 위해 두 달 월급을 주고 산 귀중품이었는데….

애장품인 카메라를 잃고 독신녀의 길을 포기하고 결혼했으나 그 후유증이 나타나 본인은 말할 것도 없고 옆 사람까지 괴롭게 하고 있다. 아이들도 어렸을 때 엄마의 잠꼬대 때문에 놀란 적이 많았다고 한다.

80년대에 서른의 노처녀라는 이유로 직장에서나 집안에서 받았던 스트레스가 지금까지도 작용하고 있다. 원하지 않는 결혼을 놓고 고민하거나 선보는 꿈을 꾸다가 놀라 일어나곤 한다. 다행히 옆에 든든한 남편이 있음을 보고 안도하는 일이 종종 있다.

평소 꿈을 많이 꿔 한때는 별명이 '꿈쟁이 요셉'이었고, 현몽과 예지몽도 잘해 꿈을 믿고 실천한 예가 한두 번이 아니다. 지그문트 프로이트의 『꿈의 해석』을 정독하며 기록해 놓은 꿈과 대조하며 분석하기도 했다.

요즘은 영혼에 때가 끼었는지 예전처럼 현몽이나 예지몽은 사라지고, 가끔 악몽에 시달리는 꿈을 꾼다. 심신이 불안정할 때나 마음이 불편할 때 꾸는 꿈이다. 그래서 보호자인 남편 없는 여행이 두렵다.

유난히 무덥던 여름, 휴가 낸 딸과 여행 갔다가 영락없이 악몽에 시달렸다. 창문 쪽 침대에서 자는데 테라스로 넘어온 괴한이 들어오려고 창문 따는 것을 보고 소리 질렀다. 한참을 몸부림치며 신음하는데 놀란 딸이 마구 흔들어 깨웠다. 눈만 감으면 그런 꿈에 시달려 밤잠을 설쳤다. 운전하는 딸 역시 엄마 때문에 잠을 설쳤으니 여간 미안한 게 아니었다. 엄마를 위한다고 천리포수목원까지 답사하고 온 딸이었는데….

여행 때 일어난 일로 가족이 모인 자리에서 엄마가 악몽에 시달리는 이유를 설명해 주고, 그동안 심려 끼친 점에 대해서도 사과했다.

살아가면서 받은 심한 스트레스나 충격적인 일을 겪고 나타나는 후유증은 정신적인 질병으로 심리치료가 필요하다는 말에 공감한다. 미국에서처럼 자연재해나 큰 사건, 사고로 충격을 받으면 반드시 심리치료로 증후군을 완화 시켜줘야 한다.

갈수록 스트레스성 정신질환자가 늘어나는데도 심각하게 받아들이지 않는 것은 사회적 정서 때문이다. 정신질환이 개인을 넘어 사회문제로 확산되고 있음을 간과해서는 안 된다.

길거리에서 '묻지 마' 사고가 발생하여 애먼 사람들이 피해 보는 경우를 줄이려면 자연스럽게 치유할 수 있는 사회시스템이 필요하다. 정신질환자들에 대한 시각도 달라져야 건전한 사회에서 마음 놓고 살 수 있을 것이다.

닮아가고 있다

갈수록 친정어머니를 닮아가고 있음이 보인다.
비단 나만 그러는 게 아닌 듯하다.

유년 시절엔 삼강오륜을 강조하는 할아버지와
늘 베풀고 사는 인정 많은 할머니 슬하에서 자라며
넓은 집 안의 청소를 담당했다.

부모와 함께 살기 시작한 여중 시절부터는
항상 쓸고 닦는 어머니의 모습을 보며 살았다.
가게 딸린 좁은 집이지만 언제나 잘 가꾼 화초들이
싱싱했고,

장독대가 반질거렸으며 부엌과 방안 곳곳은 물론
벽장 속의 이불까지 반듯하게 정리되어 있었다.

우리 집을 방문한 친인척들과 지인들은
정리정돈이 잘되고, 깨끗한 살림살이에 칭찬을
아끼지 않았다.
깔끔한 성격으로 이미지를 굳힌 어머니는
매사에 자신만만했고 당당하게 살았다.

어느 날, 눈에 보이지 않는다고 이불을 대충 개어 넣었다가
야단맞았다.
벽장 안의 이불들을 몽땅 꺼낸 어머니는 '죽으면 썩어 없어
질 몸뚱아리'를 운운하며 다시 반듯하게 개어 차곡차곡
넣으라고 따끔하게 가르쳤다.
그 뒤부터 혼나지 않으려고 소심할 정도로 꼼꼼하게 신경
쓰며 살았다.

밥상머리 교육은 습관을 길러줬고,
그 습관은 나를 형성해나가는 주춧돌이 되었다.
직장생활을 거쳐 결혼하여 부모가 된 뒤에는

배운 대로 삼 남매에게 전수傳授했다.

세월이 흐르면서 어머니가 달라지기 시작했다.
깔끔하고 철두철미했던 젊은 날의 모습은 사라지고,
외모까지 외할머니를 닮아가고 있다.

그런데 문득문득 거울에 비친 내 모습이 영락없는
어머니다.
살아오면서 닮지 않겠다고 곱씹었는데,
어머니의 길을 답습하며 닮아가고 있다.

시대가 변하는 줄도 모르고 교육이라는 구실로
가르쳤던 말과 행동들이 족쇄가 되었던가.
성인이 된 세 아이가 모이기만 하면 엄마를 성토한다.
어머니의 요구가 버거워 싫었듯이 내 아이들도
그랬다는 방증이다.
선을 그어놓고 벗어나지 못하도록 했으니 얼마나
답답하고 힘들었을까.

나의 생활방식을 답습한 내 아이들도 닮지 않겠다고

곱씹을 테지만, 언젠가는 시나브로 닮고 있는 자신을 발견할 것이다.

모시 개떡

모시 개떡은 유년 시절의 할머니를 떠오르게 한다.

모싯대를 삶아 껍질을 벗기고 가늘게 손질하여 모시 베를 짜던 시절은 전설이 되었고, 지금은 모시 송편과 모시 개떡이 인기상품으로 각광을 받고 있다.

새댁이었을 때, 시골에서 모시 송편을 아주 달게 먹었다. 당숙모가 막 쪄낸 송편을 한 대접 보내온 것을 마파람에 게 눈 감추듯 먹어 치웠다. 독특한 향기가 입맛을 돋웠다. 더 먹고 싶다 했더니 새신랑인 남편이 염치 불고하고 가서 한 대접 얻어왔는데 밥 대신 모시 송편으로 배를 채웠다. 심하던 입덧이 사라질 정도였다.

그 이후 시어머니는 모시 뿌리를 얻어다 뒤뜰에 심어놓고 모시 개떡 반죽을 해주시기 시작했다. 매달 시골에 갈 때마다 아이스박스에 한가득 가져오기 시작한 지 30년이 넘었다.

쑥쑥 자라는 모싯대를 베어 이파리만 뜯어 소다 넣고 삶으면 선명한 초록색이 그렇게 예쁠 수가 없다. 그 모시 잎과 불린 쌀과 설탕과 소금을 가지고 방앗간에 가면 반죽까지 해준다. 비닐 팩에 넣을 수 있는 크기로 나누어 한 덩이에 2,000원씩 삯을 받는다.

많게는 열 덩이씩 만들어 냉동실에 두었다가 자식들이 가면 아낌없이 내주신다. 어머니의 수고로 만들어진 모시 개떡 반죽은 혼자 다 먹을 수 없어 형제뿐만 아니라, 지인들에게 나누기 시작했다.

시어머니표 모시 개떡은 중국, 미국, 캐나다 등 외국에 사는 형제들과 그 이웃 교포들에게까지 전해졌고, 그 맛의 인기는 시들 줄 몰랐다. 모임 때나 행사가 있을 땐 개떡을 쪄갔다. 그렇게 전달한 초록색의 모시 개떡의 맛은 주변 분들이 더 좋아했다. 고마움이나 감사한 일이 있을 때, 모시 개떡 반죽을 선물로 드리기도 했다. 오리지널 모시 개떡 맛은 지인들에게 아주 강하게 입력시켜 '모시 개떡' 하면 나를 연상시킬 정도다.

이젠 시어머니의 연세가 90이 넘었고, 새댁이었던 며느리도

60줄이 되었다. 번거로운 개떡 반죽 만들기를 만류했더니 아예 손바닥 크기로 만들어 냉동실에 두었다 주신다. 반죽으로 개떡 만드는 수고를 덜어주신 것이다. 해동시켜 쪄내기만 하면 되는 편리함보다 어머니의 수고를 덜어드리기 위해 맛이 예전 같지 않다는 핑계로 만류 중이다.

홈캉스

불볕더위가 기승을 부린다.

작년에 비하면 양반이다 싶다가도 열탕 같은 찜통더위를 체감하면 온몸에 열이 솟는다. 열기는 가라앉히고 비지땀이 멈추게 하는 방법을 찾았다.

좋아하는 영화, 그것도 시즌이 많은 미국드라마에 빠지는 일이다. 방해받지 않고 시원하게 식힌 거실에 앉아 「홈랜드」 속으로 빨려 들어간다.

CIA의 젊은 여자 요원 캐리 메티슨은 정신질환 예방약을 복용하고 있지만, 직관력이 뛰어나다. 사건을 해결할 때 말도 안 되는 소리라고 질책을 받아도 자신의 직관에 확신이 서면 곧바로 행동으로 옮긴다. 막무가내이면서 돌직구로 행동하는 그녀는 작은 실마리로 큰 문제를 해결해 나간다.

누군가 믿어 주는 사람 없이는 불가한 일이지만, 캐리를 믿고 격려하며 적극적으로 도와주는 아버지 같은 상사 사울 베렌슨이 있기에 가능하다.

세계 각국에서 일어나는 사건들이라 집에 앉아서 여러 나라를 구경하는 재미도 있다. 독일, 프랑스, 오스트리아, 터어키, 스페인, 미국, 캐나다, 덴마크, 아프카니스탄, 아랍에미리트, 이란, 중국, 일본, 서울도 등장한다.

오로지 조국의 안위와 국익을 위해 온갖 국제적 사건들을 발본색원하려는 주인공들의 헌신과 스릴 넘치는 활약이 시선을 집중시킨다. 전쟁과 영웅, 거짓과 진실, 사랑과 실연, 음모와 술수, 증오, 배신, 반역, 믿음, 신뢰, 가족애, 동료애, 용기, 정의, 국가, 애국, 책임과 의무를 확연하게 보여주는 미국드라마가 시간 가는 줄 모르게 한다.

사람이 살아가는 방식은 동서고금을 막론하고 언제 어디서나 대동소이하다. 인간 냄새가 물씬 나면 더 많이 감동한다. 광대한 규모와 실감 나는 배우들의 연기와 자연스럽게 이어지는 이야기들이 몰입도를 높인다.

조국, 고국, 태어난 자기 나라를 뜻하는 '홈랜드', 미국드라마 「홈랜드」는 시즌 하나에 12화로 구성되었고, 시즌 7까지

나와 있다. 총 84화를 하루에 6, 7개씩 감상하다 보면 하루해가 금세 저문다. 다음 회차가 궁금해서 계속 보다가 새벽 2, 3시 넘기는 일은 다반사다.

그렇게 열흘이 지났다. 만사를 제쳐놓고 미드 속에 빠져 지내며 지금 뭐하나, 자문자답하며 자괴감이 들 때도 있지만, 진정으로 좋아하는 것을 자신에게 선물하는 것이라고 자위하기도 한다. 그러면 됐지 뭘 더 바라나. 이것이야말로 행복이지 않나.

입추가 다가온다. 매미는 떠날 때를 알고 저리 극성스럽게 울어대는 것이리라. 짧은 생에 대한 의무를 다하고 있는 매미와 함께 폭염이 저만치로 물러가고 있다.

반 성

다 자란 자식들이 가끔씩 묻는다. 엄마의 '교육방식에 대해서'에 어떻게 생각하느냐고. 부끄럽지만 사실대로 대답한다. "미안하다, 그때는 그게 최선인 줄 알았는데 지나고 보니 엄마의 교육방식이 다 옳은 것은 아니었더라."

성인이 된 세 아이가 모이면 엄마의 교육방식에 대해 성토를 한다. 서로 상처받은 얘기며, '야속했던 엄마'를 꼬집는다. 세 아이의 기억이 똑같다는 것은 분명 엄마의 잘못이라는 얘기다.

뭐가 그리 야속했는지 물으니 이구동성으로 비 오는 날 마중 나오지 않음을 말한다. 다른 애들은 마중 나와 우산 받고 가는데 엄마는 집에 있으면서도 오지 않았다는 것이다.

나도 확실하게 기억한다. 그것도 교육이라고 생각해서 일부러 그랬다. 만약의 경우 엄마가 집에 없다면 어떡할 거냐고 스스로 알아서 오라고 했던 것이다. 대신 일기예보를 보고 미리 우산은 챙겨 보내곤 했는데….

딸아이 방을 정리하는데 눈에 띄는 책이 있었다. 문은희의 『엄마가 아이를 아프게 한다』에 아이들에게 자주 받는 질문의 답이 있을 것 같아 세 아이 키울 때를 생각하며 읽기 시작했다. 나의 잘못된 행동이 사진으로 보듯이 적혀 있었다.

얼굴이 화끈거렸고, 등줄기에 땀이 배었다. 2011년도에 발행된 이 책이 어찌하여 딸 방에서 나왔는지도 궁금했다. 그때는 딸아이가 집에서 외무고시 공부할 때인데, 알게 모르게 받았던 상처가 있었던 것일까.

맏이는 틀에 넣고 벗어나지 못하도록 옥죄었다는 것을 후에야 알았다. 공부가 최고인 양하며 예의 바르고 어디서든 사랑받는 아이가 되어야 한다고 주문이 많았고, 하지 말라는 것도 많았다. 아이의 입장에서는 전혀 생각 안 했고, 생각조차도 못했다. 무지했던 그때를 생각하면 한없이 미안할 따름이다.

항상 공부로 효도는 했으나 받은 스트레스와 상처가 컸던 모양으로 성인이 된 지금도 가끔 어렸을 적 애기를 하며 눈물이 그렁그렁하다. 대학교에 입학하면서 핸드폰을 사줬기 때문인지 학교 때 누리지 못한 게임을 원 없이 하며 스마트폰을 달고 산다. 그 모습을 보면 가슴이 아프다. 사춘기를 겪듯 한 번씩은 겪어봐야 직성이 풀리는 모양이다.

둘째는 아들이라고 조금은 너그러웠다. 공부보다 운동을 좋아하고 매 맞더라도 하고 싶은 말은 다하며 자랐지만, 항상 피해 의식이 있었다. 공부 잘하는 누나한테 치이고 늦둥이 동생한테 치여서인지 먹을 것이 쌓여 있어도 뭔가 부족한 듯 먹는 것으로 채우려고 했다.

그 모습을 볼 때마다 세 살 때 만학한다고 살뜰하게 보살피지 못해서인가. 엄마보다 누나하고 많은 시간을 보내며 모정 결핍이 생긴 것일까. 자책감에 그때 일을 얘기하며 미안하다고 했더니 잘 자랐으니 염려하지 말라며 오히려 위로해주었다.

건강하게 자라서 ROTC 장교로 전역하자마자 취업한 아들은 아날로그인 엄마가 디지털기기 사용이 서툴러 자꾸 불러대지만, 짜증 한번 내지 않고 몇 번이고 설명해준다. 짜증 날 법도 한데 그 인내력이 대단하다. 항상 누나와 비교하여 눈높이에 맞지 않아 불만족했던 아들, 성인이 되어 겪어보니 참 괜찮고 멋있는 녀석이다.

누나와 형을 키우면서 느꼈던 시행착오는 막내에게 적용하지 않았다. 그래서인지 막내는 영혼이 자유롭다. 자기주장이 강하고 죽어도 좋아하는 일을 하겠다며 굳은 의지를 꺾지 않는다.

시대가 변한 만큼 아이를 지켜보기로 했더니 즐겁고 행복해한다. 원하는 대로 휴학하고 연극도 해보고 진로를 향해 스펙도 열심히 쌓고 있다. 경험 삼아 아르바이트도 가리지 않고 한다. 과외, 학원 조교, 카페 일, 아기 돌보미, 캠페인 동영상 출연, 독립영화 출연, 외식업체 도우미, 택배 물류창고 일 등을 하며 힘들게 번 돈을 아낌없이 쓴다. 쓰기 위해서 번다는데 할 말이 없다. 누나와 형도 그러는 막내가 이해 안 된다고 고개를 절레절레 흔든다.

부모라는 이유로, 엄마라고 해서, 사랑이라는 구실로, 세 아이에게 알게 모르게 주었던 상처가 있다면 늦었지만, 이제라도 치유해주고 싶다. 진심이 담긴 미안함을 행동으로 보여주며 반성하는 일이다.

저희도 부모가 되어 자식을 키워보면 이해하겠지만….

가족사진

가족이 단란하게 앉아 찍은 사진액자가
명화처럼 거실에 걸려있다.

세 아이가 성인이 되어 각각 떨어져 살면서
보고 싶을 때나 미운 짓 해서 속상할 때,
가족사진을 보면 저절로 미소가 번진다.
그래서 거금을 주고 찍은 사진이 아깝지 않다.

막내가 이벤트에 당첨이 되었다고 해서
가족사진 찍은 지 5년 만에 다시 모였다.
삼 남매가 의논해서 결정한 대로 정장이 아닌

티와 검정 바지로 통일하여 입고 약속장소로 갔다.

웨딩, 리마인드 웨딩, 돌사진, 백일사진 등
다양한 복장으로 촬영하기 위한 손님들로 북적였다.

약속했던 시간보다 오래 기다렸다가 촬영실로 들어갔다.
사진사가 예술작품을 찍듯 즐겁게 연출시킨다.
다섯 명이 맨발로 출연하여 감독의 지시에 따라 움직였다.

온 가족이 함박웃음 꽃을 매달고
모두 함께, 부부끼리, 모녀끼리, 삼부자끼리,
다양한 자세를 취하며 즐거웠다.

이벤트라는 미끼에 걸렸다는 걸 알면서도
목돈이 들어가는 도자기 액자 사진을 주문했다.
우리 가족에게 화목한 시간을 제공한 값으로.

딸아이가 기분 좋게 현금으로 계산하고,
즐겁고 행복한 표정들을 담은 사진 파일 77장과
영상물을 샀다.

그나마 이벤트에 당첨되어 할인된 가격이라며
담당자는 막내 덕이라고 부추긴다.

상술인 줄 알면서 착한 미끼에 걸렸다고 모두 유쾌하게
웃었지만, 당자인 막내는 자기 때문에 지출이 컸다고
미안해한다.
어쩌랴, 그래도 행복하다는데….

순간에 느낀 죽음

평상시와 다른 건 없었다.

저녁 먹고 훌라후프 조금 돌리고서 동생과 기분 좋게 통화를 끝냈는데 갑자기 어지럼증이 생기더니 점점 심해졌다. 처음 있는 일이라 그러다 말겠지 싶어 눈을 감고 기다리는데 더 심해진다. 도저히 앉아 있을 수 없어 안방으로 들어가 누웠지만, 정신이 몽롱하고 종잡을 수 없이 어지럽더니 아득한 곳으로 빨려 들어간다. 소용돌이치는 블랙홀에 빠져드는 것 같다.

순간, 죽음이 스쳐 간다.

아, 바로 앞에 죽음의 문이 있구나. 이 시점에서 뭘 하지? 나 죽으면 누가 제일 슬퍼할까. 남편과 내 자식들? 아니다. 가장 슬퍼할 분은 나의 어머니고 여동생일 것이다.

이 세상에서 이 한목숨 사라진들 달라질 게 있는가. 지구는 여전히 돌아갈 테고, 가족들은 슬퍼하다가 제자리로 돌아가 잘 살아갈 것이다. 가장 걸린다면 대학생인 막내다. 다 컸다고 큰소리치지만, 경제력이 없으니 물가의 어린아이처럼 마음이 쓰인다.

현관문 열리는 소리가 들리고 인기척이 느껴지지만 일어날 수가 없다. 남편이 들어왔다는 신호를 보내다가 방으로 들어와 널브러져 있는 모습을 보고 놀란다. 양 손가락 10개를 따고 손발을 주물러도 달라지지 않자 병원에 가잔다. 병원도 싫고 그대로 세상과 하직했으면 싶을 정도로 고통스럽다.

그제야 90 넘은 시모님과 80 된 친정어머니가 생각난다. 통화할 때마다 아프다는 소리에 스트레스를 받았는데…. 얼마나 아팠으면 입에 달고 살까. 아프다는 소리 좀 안 들었으면 했는데, 이제는 그 심정을 이해할 것도 같다.

활명수만 마시면 토하는 줄 알면서도 남편의 성화에 애먼 활명수를 마셨다. 어김없이 화장실로 달려가 쏟아냈다. 조금이라도 달라지길 바랐지만, 여전히 표현하기 어려울 만치 고약한 증세가 계속되니 차라리 숨이 멎었으면 싶다.

병원에 대한 나의 불신을 알 법도 한데 옆에서 안절부절못하던 남편이 병원 타령을 한다. 검진한다며 온갖 검사를 할

테고, 며칠 입원하라며 링거를 꽂을 것이다. 병원에 가면 어떻게 나올지 불을 보듯 뻔하기 때문에 가기 싫다.

남편이 활명수 한 병을 더 권한다. 다시 마시고 누웠다가 화장실로 직행했다. 쓴물까지 토하고 들어와 누웠다. 내일부터 설 연휴가 시작되는데 아파도 차례를 지내야 하는가. 이대로 계속되면 못하는 거지.

집안에 혼인 날짜를 잡아서 차례는 안 지내도 된다며 홀가분하다는 한 종부가 생각난다. 집안에 환자가 있어도 제사나 차례를 지내지 않는단다. 나도 계속 아프면 못 하는 거지.

또 한 번 죽음이 스쳐 간다. 내 장례식장을 떠올린다. 과연 내 장례식에 누가 와 줄까. 장례식장에 가보면 그 사람이 어떻게 살다 갔는지 짐작할 수 있다.

다시 아득한 어둠의 나락으로 떨어진다. 연옥일까. 지옥일까. 먼 곳에 있는 줄 알았던 죽음이 바로 눈앞에 있다는 걸 온몸으로 느낀다. 아득하고 몽롱한 상태에서 얼마나 지났을까. 눈이 떠졌다. 살아있는 현실로 돌아왔다.

순간에 느꼈던 죽음은 삶을 되돌아보게 했고, 언제라도 떠날 수 있도록 항상 주변 정리와 마음의 준비를 하도록 했다.

"버리고 갈 것만 남아서 홀가분하다"는 박경리 작가와 "잘살고 떠납니다"라고 했던 최명희 작가의 어록이 스쳐 지나간다.

6

가족 여행

6

가족 여행

훌쩍 커버린 아이들은 세월의 빠름을 실감케 하고, 시대의 변화에 순응하도록 매개 역할을 해준다. 세 아이 키우느라 애면글면하던 시절은 사라지고, 직장 따라 독립해 나간 딸, 학교 앞으로 나간 막내, 뿔뿔이 흩어져 살다 보니 특별한 날 아니면 얼굴 맞대기도 힘들 정도다.

아직 타성바지가 들어오지 않았는데도 분위기가 예전 같지 않음을 느꼈는지 아들딸이 제안했다. 분기별로 가족 여행을 하자고. 만장일치로 합의하자마자 딸이 먼저 모든 비용을 부담하겠다고 선언하더니 미리 장소까지 예약했다.

드디어 조율한 날짜에 출발했다. 덜 바쁜 우리는 일찍 출발했으나 일정이 바쁜 두 아들은 숙소에서 만나기로 했다.

강릉으로 갈수록 우거진 신록이 눈의 피로를 씻어준다. 공기가 확연히 다르다. 강릉은 경포대, 허난설헌 생가, 오죽헌, 김동명 문학관 등 볼거리가 많지만, 관광보다 가족이 모여 오붓한 시간을 보내는데 더 의미를 두기로 했다.

리조트에 도착하여 체크인하는 데도 시간이 걸린다. 가족 단위 손님들이 주를 이루고 있다. 잔디밭 가운데 풀장에서는 아이들이 신나게 놀고 어린이를 위한 행사도 곳곳에서 치러지고 있다.

커다란 방 하나에 다섯 명의 식구가 모였다. 한 배에서 나온 세 아이가 저마다 색깔이 다르고 취향도 다르다. 서로 다름을 인정하면서 우애하는 모습은 보기만 해도 배부르고 흐뭇하다.

비가 내리는데도 저희끼리 나가더니 아빠가 좋아하는 싱싱한 오징어회와 먹을거리를 푸짐하게 사 왔다. 아이들이 커가면서 뜸하던 가족 여행을 오랜만에 와서 둘러앉으니 분위기가 사뭇 다르다.

커다란 창문으로 잘 다듬어진 정원이 그림처럼 다가온다. 잔디밭에서 뛰놀고 있는 아이들과 사진 찍는 가족들이 행복해 보인다. 바라만 보아도 배시시 미소가 번지는 행복한 사람들을 보며 먹는 즐거움에 빠졌다.

배가 부른 건장한 두 아들이 주짓수로 힘겨루기하며 땀범벅이 된다. 삼부자가 돌아가며 팔씨름하고 우리 모녀는 멀찍이 앉아서 세 남자의 힘자랑을 구경한다.

오락가락하던 비가 멎고 구름 사이로 새어 나온 햇살을 받으며 리조트 뒤뜰인 경포해수욕장으로 향했다. 데크로 된 해변 산책로 따라 걸으며 추억을 저장한다. 수평선 너머로 거친 파도가 쉼 없이 밀려온다. 철썩이는 높은 파도가 시원한 바람을 한껏 안겨준다. 상쾌하고 기분이 좋다. 가족끼리여서 더욱더….

이전에는 우리가 아이들을 돌보았는데 이젠 아이들이 우리 부부의 돌보미가 되어 이리저리 안내한다. 경포대와 허난설헌 생가, 커피가 유명하다는 해변가의 카페 등을 돌며 포만감을 느낀다. 장성한 삼 남매와 함께한 여행이라 더 뿌듯하다.

어느덧 아이들은 떠오르는 차세대로 사회의 주역이 되고, 우리 부부는 서산마루에 걸터앉은 석양을 맞고 있다. 인생의 순환이 피부로 전달된다.

아이들 키울 땐 이런 날이 오리라고 꿈도 못 꿨는데, 성인이 된 자식들을 보며 여생은 어찌 보낼 것인지 다시 생각해 본다. 자식들에게 폐 끼치지 않는 삶이길….

호캉스

호텔에서 휴식을 취하는 호캉스(호텔 + 바캉스)가
자리를 잡아가고 있다.

굳이 많은 경비를 들이면서 번거롭게 외국으로 떠날 필요 없이 최고의 시설과 다양한 프로그램을 갖춘 가까운 호텔에 머물며 휴식할 수 있다는 장점으로 호캉스 인구가 늘고 있다.

우리네로서는 고가의 숙박비를 내고 호텔에서 지낸다는 것이 낯설지만, 젊은 세대들은 고급 식당, 사우나, 스파, 수영장, 피트니스 등을 즐기기 위해서 찾는다.

도심의 고급호텔들이 내놓은 패키지 상품들은 인기가 좋아 효도상품이 되었다.
나와 먼 얘기라 생각했는데 딸아이가 덜컥 예약을 했다.
비용은 비밀이라고 단호하게 입막음을 한다.

잠실 롯데타워 '시그니엘서울'에 들어서는 순간 이방인이 되었다.
6성급 호텔답게 고급스럽고 우아한 시설에 놀라고,
직원들의 친절에 감탄하며 안내받아 들어간 곳은 94층 스위트룸이었다.

한눈에 들어온 전망은 고소공포증이 달아날 정도였고,
코앞에서 비구름이 바람에 밀려가는 게 파노라마로 펼쳐진다. 날씨가 흐리고 빗방울이 유리창으로 떨어지는 것마저 이채롭다.
난생처음 느껴보는 고품격의 우아함이랄까.
혼자만 대우받으며 누리기 미안하고 아깝다는 생각에
근무 중인 남편과 두 아들, 함께 누렸으면 좋았을 친정어머니와 여동생도 생각난다.

더디 갔으면 좋을 시간은 소임을 다하며 밤으로 안내하고, 불빛이 하나둘씩 켜지고 있는 서울의 밤에 시선을 묶는다. 한강 변을 따라 달리는 자동차 행렬이 쏟아내는 불빛은 꼬리에 꼬리를 물고, 반짝이는 네온사인들은 마치 영화 속의 배경 같다.

호텔 밖에서 딸과 손잡고 아이쇼핑도 하고, 맛있는 음식도 먹으며 거리를 좁힌다.
독립해서 집을 떠난 뒤 데면데면했던 딸과의 사이가 가까워졌다.
딸이 아니면 누가 이런 호사를 누리도록 하겠나 싶으니 고맙다는 말이 절로 나온다.

1박 2일의 짧은 일정이었지만 우리 모녀에게는 즐겁고 긴 휴식이 되었다.
호텔을 벗어나니 외국에 다녀온 기분이다.
1인당 50만 원으로 외국 여행을 다녀왔다고 생각하니 아깝다는 생각이 사라진다.
자주는 아니더라도 한 번쯤 누려볼 만한 호캉스다.

영화 「로마의 휴일」의 배경을 찾아서

사춘기 때 가슴 설레게 했던 영화 「로마의 휴일」은
몇 번을 봐도 싫증이 나지 않는다.
다만 나이에 따라 보고 느끼는 관점이 달라질 뿐이다.

막내를 따라 스페인 광장으로 향했다.
우중충한 날씨에도 많은 인파가 몰려있다.
이탈리아 로마에 왜 스페인 광장인가.

스페인 대사관이 있었다 해서 붙여진 이름이고,
「로마의 휴일」의 주인공 오드리 헵번이
젤라또 아이스크림을 먹었던 계단과

그 앞에 배 모양의 '바르카차 분수'가 있다.

여행객들은 오드리 헵번의 포즈를 취하느라 바쁘지만,
높이에 따라 시야에 들어오는 전망이 좋아서 오르고 또 올
라 스페인 광장이 내려다보이는 삼위일체성당 앞에 섰다.

거리마다 화려하게 수놓은 크리스마스 장식 아래로
물밀 듯 들고나는 사람들과 시내가 한눈에 들어온다.
눈과 마음과 사진으로 저장하고 내려와 트레비 분수로
향했다.

53년에 제작된 「로마의 휴일」 속의 트레비 분수에서는
아이들이 안으로 들어가 말 조각상에 매달려 노는 장면이
나올 정도로 한적했던 도심이 반세기가 지난 오늘날은
관광객들로 넘쳐나고, 소망을 빌며 동전 던지는 사람들 때
문에 분수 근처로 가기조차 힘들다.

오히려 위쪽의 주변 건물 계단으로 가면 방해물 없이 분수
를 배경으로 사진도 찍고, 폴리 궁전의 옆면을 이용한 바로
크 양식의 트레비 분수를 온전히 감상할 수 있어 좋다.

남자 주인공 그레고리 펙이 오드리 헵번을 놀라게 하는
장면으로 명소가 된 '진실의 입'을 찾아갔더니 줄이 길게
늘어섰다.
인내력이 부족하여 대열에 끼지 않고, 길 건너에 있는
산타마리아 인 코스메딘 성당을 한 바퀴 돌고 와서
동생 모녀가 '진실의 입'에 손을 넣는 장면만 사진 찍어
주었다.
입장료 대신 자발적으로 기부할 수 있는 기부함이 옆에 있
었지만, 관광객들은 사진찍기에만 정신이 쏠려있다.
'진실의 입'이 그 옛날 하수구 뚜껑으로 쓰였던 것이라 해
도 대리석에 새겨진 바다의 신 '트리톤'의 얼굴에서 역사성
의 의미를 찾을까.

달빛과 조화를 이룬 콜로세움의 야경은 낮에 본 그림과
사뭇 다른 분위기다.
특종을 계획한 특파원 그레고리 펙과 사진 기자가 앤 공주
를 콜로세움으로 안내하여 폐허지만 웅장함이 느껴지는
경기장을 둘러보던 장면이 생생하다.
그 시절만 해도 운치 있고 고즈넉한 유적지였으나, 지금은
인파에 밀려 들고나는 곳으로 변했다.

주인공들이 오토바이로 달리며 지나쳤던 베네치아 광장,
카피톨리노 언덕의 박물관과 조국의 제단, 판테온 신전
근처의 노상 카페는 영화 속의 낭만은 사라지고 현대인의
문화 놀이터가 되어 몸살을 앓고 있다.

1953년과 54년에 제작된 「로마의 휴일」과 「애천愛泉」은
흑백영화지만 낭만이 서려 있어 가슴 설레게 했다.
지금 감상해도 손색이 없는 영화,
그 배경 속의 유물들이 그대로 보존되고 있음이 놀랍다.

어느새 문명의 불빛이 발길 닿는 곳마다
유적지인 로마 시내를 조명하기 시작한다.

바티칸 시티

현지 가이드를 따라 말로만 듣던 바티칸 정문 앞에 왔다.
비가 오는 이른 시간임에도 관광객들이 약속이나 한 듯이
모여들고 있다.
현지에서 20년 넘게 살았다는 가이드는 신속하면서 능숙
하게 우리를 이끌고 안으로 들어간다.

시민이 900명도 안 되지만 어엿한 독립 국가여서 절차에
따라 검색대를 통과했다.
세계 최대의 박물관이라는 바티칸에서 대가들의 진품을
감상할 수 있다니 얼마나 행복한 일인가.

미켈란젤로의 복제 조각상 「피에타」가 중세 시대 회화관인 피나코테카 입구에서 맞아준다. 정교한 조각상을 들여다보고 있노라면 비탄에 젖은 성모의 심정이 그대로 전달되어 가슴이 먹먹해진다.

라파엘로, 조토, 니콜로와 조반니, 라뽀 라피 등 당대 이름을 날리던 예술가들의 작품에 감동 받으며, 시대에 따라 변화하는 화풍을 감상한다.
중세 시대 그림들의 공통점은 종교와 밀접해 있다는 것이다. 그만큼 종교가 실생활에 깊숙이 스며들었다는 증표이기도 하다.

양쪽 복도에 다양한 조각품들을 전시한 키아라몬티 전시관이 걸음을 더디게 한다. 손끝으로 다듬었다고 믿어지지 않을 정도로 정교한 조각 작품들을 보며 한 작품을 완성하기까지 예술가들의 노고가 어떠했는지 가히 짐작조차 못 하겠다.

팔각 정원은 세 명의 조각가가 제작했다는 「라오콘 상」을 보기 위해 많은 관광객이 찾고 있다. 생사의 고뇌가 전달되는 라오콘 상과 그리스신화에 나오는 아폴론, 메두사의 목을 벤 페르세우스 상이 발길을 붙잡는다.
영화 「미이라」에서처럼 금세 부활하여 뒤따라올 것 같은 생생함에 전율이 느껴진다.

발길 닿는 곳마다 진가의 예술작품들이 눈길을 사로잡는다. 대형 양탄자 그림으로 벽면을 장식한 '벽걸이 융단 복도', 금색 천장화가 아름다운 '지도의 복도', 승전 20주년 기념 대형 그림이 전시된 '소비에스키 방', 라파엘로 작품으로 가득 채운 '라파엘로 방'의 명작들은 숨쉬기조차 조심스럽게 한다.

현대 과학 문명으로 그 같은 명작들을 빚어낼 수 있을까.
신의 손이 아니면 탄생할 수 없는 작품들은 바라보는 것만으로도 황홀하다.
밀려드는 인파만 아니라면 종일 머물며 맘껏 감상하고 싶다. 하지만, 마음뿐 관광객들에게 떠밀려 다음 전시실로 발걸음을 옮긴다.

미켈란젤로

미술계에서 가장 귀에 익은 이름이 있다면 미켈란젤로다. 시험 치르기 위해 암기했던 작품 「천지창조」, 「최후의 심판」, 「피에타」, 「다비드」를 직접 감상할 수 있는 행운에 감사하며 가이드 설명에 귀기울인다.

1475년 이탈리아 토스카나 귀족의 둘째 아들로 태어난 미켈란젤로, 그도 우리네처럼 공부하라는 치안판사인 아버지의 바람을 저버리고 좋아하는 조각과 그림에 관심을 가졌다.

뜻이 있는 곳에 길이 있다고 했던가. 재능을 알아주는 스승 도메니코 기를란다요의 제자가 되어 마음껏 기량을 펼친다. 또 유년 시절부터 조각에 관심이 많았던 미켈란젤로는 조각가 베르톨도 디 조반니 밑에서 조각 일을 하다가 피렌체 문화 예술을 꽃피운 명문가 메디치가의 수장 로렌초 데 메디치와 인연을 맺게 된다.

메디치가에 기거하며 조각상들을 만들기 시작하여 「켄타우로스족과 라피드 족의 전투」로 어린 나이에 이름을 날린다. 미켈란젤로를 총애하던 수장 로렌초의 죽음은 21세의 미켈란젤로에게 커다란 상처가 된다. 고향으로 내려가 슬픔을 달래며 조각에 몰두하여 대작 「헤라클레스」를 남긴다.

1494년 프랑스 침공으로 피렌체의 명문 메디치가가 몰락하자 그 여파는 미켈란젤로의 인생에 큰 변화를 가져온다. 전란을 피해 볼로냐에 머물면서 조반 프란체스코 알도 브란디의 후원을 받아 「성 프로클로스」, 「성 페트로니우스」, 「촛대를 든 천사」 등의 조각상을 제작한다.

1496년 피렌체로 돌아가 「잠자는 큐피드」, 「바쿠스」를 제작하고, 1499년 그 유명한 「피에타」를 완성한다. 바티칸의 성 베드로 대성당에서 비탄에 잠긴 성모 마리아의 슬픔이 그대로 전달되는 「피에타」를 감상할 수 있다.

1501년 피렌체 시의 위탁으로 3년에 걸쳐 완성한 「다비드」는 높이가 410cm이나 되는 거대한 조각상이다. 진품은 아카데미 미술관에 소장하고, 베키오 궁전 앞 시뇨리아 광장에서 관광객들의 눈길을 사로잡고 있는 다비드상은 복제품이다.

「피에타」와 「다비드」는 미켈란젤로를 거장으로 만들었으며 이탈리아뿐 아니라, 유럽에서 작품 의뢰가 쇄도했다고 한다. 그 당시 우리나라도 그랬지만, 유럽에서도 예술가들의 사회적 위상은 그리 높지 않았다. 그럼에도 미켈란젤로는 예술가로서 독립성을 인정받은 최초의 화가로 알려졌다.

바티칸 교황 율리오 2세는 성 베드로 대성당을 재건축하면서 건축가 도나토 브라만테, 라파엘로, 미켈란젤로를 거장으로 만들어주었고, 예술가들의 혼이 담긴 작품들을 남기게 한 장본인이다.

그 과정에서 갈등과 분란도 있었지만 결국은 교황의 뜻에 따라 시스티나 성당에 미켈란젤로의 천장화 「천지창조」와 「최후의 심판」 등 최고의 역작을 남겼고, '라파엘로 방'과 '서명의 방' 외에도 르네상스 시대 작가들의 위대한 작품을 남기게 했다.

미켈란젤로는 1564년 2월 18일 81세로 세상을 떠날 때까지 존경받는 화가로, 조각가로 명성을 떨치며 수많은 작품을 남겼다. 그 덕분에 지구촌 곳곳에서 몰려온 관광객들은 바티칸 박물관에서 거장의 대작들을 감상하며 감동한다.

라파엘로의 「아테네 학당」

르네상스 시대의 작품을, 그것도 거장인 라파엘로의 프레스코화를 감상할 수 있다는 사실에 가슴이 설렌다.

바티칸 교황의 개인 서재인 '서명의 방' 사면에 그린 벽화 중 많은 관광객이 주목하고 있는 「아테네 학당」 앞에서 깃발을 들고 열심히 설명하고 있는 가이드의 진지함에 빨려 들어간다.

철학자, 과학자, 수학자, 사상가 54명이 모여 토론하는
모습이 눈에 들어온다.
플라톤과 아리스토텔레스가 중앙에 있고, 왼쪽 옆에 플라

톤의 스승 소크라테스, 에피쿠로스, 피타고라스, 헤라클레이토스, 디오게네스, 파르메니데스, 유클리드, 제논, 천문학자 프톨레마이오스 등

생생한 그림을 자세히 들여다보면 각각 표정과 손발의 자세, 지구본, 컴퍼스, 수학책, 에티카 등의 섬세한 소품이 눈에 띈다. 저마다 대표하는 학자들의 특징이 잘 묘사되어 누구라도 어떤 학자인지 짐작할 수 있다.

재미있는 사실은 시대가 다른 학자들을 등장시키면서 동시대 화가와 건축가인 레오나르도 다빈치, 브라만테, 미켈란젤로와 화가 자신도 그림 속에 등장시킨 점이다.

교황의 궁정화가와 건축가로, 르네상스 전성기를 보내며 재능을 맘껏 펼쳤던 라파엘로는 교황 율리오 2세의 주문으로 바티칸 '서명의 방'에 그린 프레스코화 「성만찬에 대한 논쟁」, 「아테네 학당」, 「보르고의 화재」로 대가의 반열에 올랐으며 레오나르도 다빈치, 미켈란젤로와 함께 르네상스를 대표하는 3대 거장으로 불리고 있다.

안타깝게도 서른일곱의 짧은 생을 살았지만(1483~1520) 「방울새의 성모」와 「도니 부부의 초상화」, 「대공의 성모」, 「율리우스 2세의 초상화」, 「레오 10세와 추기경들」, 「의자의 성모」, 「그리스도의 변용」 등의 대작을 남겼다. 그 덕분에 바티칸을 찾는 관광객들은 명화의 원본들을 감상하며 예술작품의 진면목에 감탄한다.

판테온과 나보나 광장을 찾아서

막내와 조카를 따라 스페인 광장, 트레비 분수를 거쳐
판테온이 있는 로톤다 광장으로 간다.

시내 한가운데에 자리 잡은 가장 오래된 판테온 신전은
돔과 기둥을 이용한 과학적인 건축물로
원형이 잘 보존된 유적이며 유럽 건축의 근간이 되어
건축학도들이 자주 찾고 있는 곳이란다.

안으로 들어가 보면 그 웅장함에 놀라고,
고대 왕들과 라파엘로의 무덤이 안치되어 있음에 놀라고,
넓고 높은 돔 천장의 섬세한 장식에 놀란다.

햇빛이 들어오도록 만든 동그란 구멍에서 빗방울이 떨어진다. 사진을 찍는데 고개가 아플 정도다.

한 바퀴 돌고 사람들에게 밀려 밖으로 나오니
여전히 겨울비가 내리고 있다.
비를 맞으며 나보나 광장으로 발길을 돌린다.
길은 몰라도 사람들이 가는 방향으로 따라가면 목적지에
갈 수 있다.

반듯한 네모건물들 사이로 나오자 나보나 광장이 한눈에
들어온다.
비가 오고 있음에도 커다란 파라솔을 펼쳐놓은 길거리
행상인들이 즐비하다.
위에서 보면 경기장 형태가 드러나겠지만,
그곳이 한때는 콜로세움보다 더 큰 경기장이었다는데
실감 나지 않을 정도로 길고 좁은 광장이다.

304년에 순교한 성 아그네스를 기리기 위해 보로미니가 설계하여 건립한 산타네세 인 아고네 성당 앞에, 보로미니의 스승이지만 앙숙이었던 건축의 대가 베르니니의 바로크 작품인 「강의 분수」가 있다.
17m 높이의 오벨리스크와 네 개의 커다란 조각상들은 갠지스강, 도나우강, 나일강, 라플라타강을 상징한 것이라고.

여행객들은 「강의 분수」의 양쪽에 있는 「넵튠의 분수」와 「무어인의 분수」, 그리고 건축가인 베르니니와 보로미니 작품을 한곳에서 감상할 수 있음에 더 매력을 느끼고 있다.

젊은 세대인 막내아들과 조카는 그들의 관심사인 관광상품 가게로 가고, 동생과 우산을 받고 품앗이로 사진 찍기 위해 분수 앞에서 포즈를 취한다.
빗줄기가 점점 강해지고 있지만 그래도 즐겁다. 자유여행이라서….
또 하나의 추억을 저장하며 아름답다는 '나보나 광장'을 뒤로하고 로마의 모천이나 다름없는 테베레 강으로 향한다.

오스트리아 잘츠부르크

뮌헨 중앙역에서 막내와 함께 기차를 타고
영화 「사운드 오브 뮤직」이 떠오르게 하는 도시로 향했다.
어딜 가나 관광객들로 인산인해다.

모두 어디로 가는 걸까.
목적지는 대부분 비슷하다.
「사운드 오브 뮤직」의 촬영지였던
아름다운 정원이 있는 미라벨 궁전이다.

가이드가 필요 없다.
밀려가는 대로 따라가면 된다.

길옆 문이 궁전의 후문, 안으로 들어가니
수령이 오래된 나무가 역사를 말해준다.

「사운드 오브 뮤직」에서 마리아와 일곱 아이가 '도레미송'을 부르며 신나게 뛰놀던 페가수스 조각상 주변에 사진 찍으려는 사람들이 몰려 있다.
1690년에 조성되었으나 대화재 이후 프랑스식으로 복원한 정원은 분수와 연못, 대리석의 조각상과 손질이 잘된 나무들로 조화를 이루어 아름답고, 「사운드 오브 뮤직」의 촬영지라 해서 더 많은 사람이 찾는다.

모차르트가 17세부터 6년간 살았던 '모차르트의 집' 앞으로 해서 다시 인파를 따라 잘차흐 강이 흐르는 다리로 가는데 서로 어깨가 부딪힐 정도다. 모차르트 생가로 향하는 인파다.

크리스마스 시즌이라 거리마다 휘황찬란한 불빛이 환상적이고, 게트라이데 거리는 보행자들의 전용 도로라서
자유롭다.
이색적인 철제간판을 따라 파도처럼 밀려간다.

노란색 건물 앞이 북새통이다.
모차르트가 태어나 17년을 살았다는 생가 문패 앞에서
기념 촬영하기 위해 기다리는 사람들이다.
국적 불문하고 심리는 비슷한가 보다.

모차르트 박물관과 모차르트 기념품 가게, 모차르트 광장,
모차르트 카페 등 후손들은 천재 음악가 모차르트의 덕을
톡톡히 보며 살아가고 있다.

대성당 앞에 하얀 천막들이 즐비하다.
행사 준비로 분주한 모습들이다.
잘츠부르크를 한눈에 볼 수 있다는 호엔 잘츠부르크 성에
오르기엔 시간이 촉박하여 아쉬운 마음으로 발길을 돌린
다. 예매해 놓은 버스 시간에 맞추려면 빨리 움직여야
뮌헨에서 만나기로 한 동생네와 합류할 수 있기에.

겨울의 짧은 해가 금세 기울고, 노을에 잠긴 모차르트의
고향, 잘차흐 강에 비친 잘츠부르크의 아름다운 야경을 뒤
로한 채 번화한 거리에서 빠져나왔다.